ENERGIA MENTAL E FÍSICA
Escritos do Fundador do Judô

Dados Internacionais de Catalogação na Publicação (CIP)
(Câmara Brasileira do Livro, SP, Brasil)

Kano, Jigoro, 1860-1938.
 Energia mental e física : escritos do fundador do judô / Jigoro Kano ; com uma introdução de Yukimitsu Kano ; compilado por Naoki Murata ; traduzido para o inglês por Nancy H. Ross ; traduzido para o português por Wagner Bull. – São Paulo : Pensamento, 2008.

Título original: Mind over muscle.
Bibliografia.
ISBN 978-85-315-1525-5

1. Artes marciais 2. Judô 3. Judô – Filosofia 4. Judô – História I. Kano, Yukimitsu. II. Murata, Naoki. III. Título.

08-00531   CDD-796.8152

Índices para catálogo sistemático:
1. Judô : Artes marciais : Esporte 796.8152

ENERGIA MENTAL E FÍSICA
Escritos do Fundador do Judô

Jigoro Kano

Com uma introdução de YUKIMITSU KANO
Presidente da Kodokan

Compilado por NAOKI MURATA

Traduzido para o inglês por NANCY H. ROSS

Traduzido para o português por WAGNER BULL
www.aikikai.org.br

Editora
Pensamento
SÃO PAULO

Título original: *Mind Over Muscle – Writings from the Founder of Judo*.

Copyright © 2005 Naoki Murata.

Copyright da tradução para o inglês © Nancy H. Ross.

Copyright da edição brasileira © 2008 Editora Pensamento-Cultrix Ltda.

1ª edição 2008.

10ª reimpressão 2024.

Publicado mediante acordo com a Kodansha International Ltd.

Caligrafia do autor.

Todos os direitos reservados. Nenhuma parte deste livro pode ser reproduzida ou usada de qualquer forma ou por qualquer meio, eletrônico ou mecânico, inclusive fotocópias, gravações ou sistema de armazenamento em banco de dados, sem permissão por escrito, exceto nos casos de trechos curtos citados em resenhas críticas ou artigos de revistas.

A Editora Pensamento não se responsabiliza por eventuais mudanças ocorridas nos endereços convencionais ou eletrônicos citados neste livro.

Nota do Editor
Este livro é uma coleção dos ensinamentos essenciais de Jigoro Kano, o fundador do judô Kodokan. O material foi selecionado e compilado a partir de textos e palestras de um período que abrange 51 anos. Apesar de ter sido feito o máximo esforço para que ele se mantivesse fiel à fonte original, pelo bem da continuidade e da relevância, certos ajustes e omissões foram considerados necessários. Tendo em vista que o material foi adaptado a partir do trabalho de toda a vida de Kano, algumas repetições no conteúdo foram inevitáveis. É o desejo do editor que este livro ofereça ao leitor uma visão geral, abrangente e esclarecedora do trabalho e dos valores básicos de Jigoro Kano, que devotou sua vida a apresentar o judô ao mundo.

Nota do tradutor
Nesta edição, quando a palavra Kodokan estiver no feminino, ela se refere à escola Kodokan; e quando estiver no masculino, refere-se ao estilo de judô Kodokan.

Direitos de tradução para a língua portuguesa
adquiridos com exclusividade pela
EDITORA PENSAMENTO-CULTRIX LTDA.
Rua Dr. Mário Vicente, 368 — 04270-000 — São Paulo, SP
Fone: (11) 2066-9000
E-mail: atendimento@editorapensamento.com.br
http://www.editorapensamento.com.br
que se reserva a propriedade literária desta tradução.
Foi feito o depósito legal.

Sumário

Prefácio à edição brasileira 7
Prefácio 11

Capítulo 1. O desenvolvimento do judô 13
Uma breve história do ju-jutsu 15
Do ju-jutsu ao judô 20

Capítulo 2. O espírito do judô 33
Seiryoku Zenyo: A essência do judô 35
O judô e o treinamento físico 45
O judô e o treinamento intelectual 53
O judô e a educação moral 59
O judô como arte marcial 62
Um princípio básico para todos 67

Capítulo 3. O treinamento do judô 75
O propósito do judô 77
Os três níveis do judô 81
A prática do judô 87
O judô e a educação 93
O espírito samurai 105
A prática do judô no dojo 113
A prática do kata 116

Posfácio 119
Bibliografia 127

PREFÁCIO À EDIÇÃO BRASILEIRA

Eu sou praticante de budo há 38 anos. Nestes anos todos em que estou envolvido com as artes marciais, mais especificamente com as de origem japonesa, o nome de Jigoro Kano, o autor deste livro, sempre esteve presente como o maior divulgador, o grande mestre e a grande figura desse meio.

Homem de grande visão, extraordinário educador, dotado de uma filosofia humanista, Jigoro soube fazer com que o judô, síntese de várias artes japonesas que ele havia criado, passasse a ser praticado nas escolas japonesas e fosse difundido pelo mundo todo.

Jigoro Kano, que era pequeno e fraco por natureza, começou a praticar o ju-jutsu aos 18 anos, com o propósito de não ser dominado por causa da sua fraqueza física. Ele aprendeu *atemi-waza* (técnicas de percussão) e *katame-waza* (técnicas de domínio) do estilo ju-jutsu Tenjin-shin-yo Ryu e *nague-waza* (técnicas de arremesso) do estilo ju-jutsu Kito Ryu. Baseando-se nessas técnicas, aprofundou seus conhecimentos tomando por base o predomínio da mente sobre os músculos. Além disso, ele criou novas técnicas para o treinamento de esportes competitivos, ressaltando também o cultivo do caráter. Adicionando novos aspectos ao seu conhecimento do tradicional ju-jutsu, o professor Kano fundou em 1882 o Instituto Kodokan, priorizando a educação física, a competição e o treinamento moral. Nessa época, seu dojo (local de treino) tinha apenas doze tatames e nove alunos no Japão. Hoje são centenas de milhares em todo o mundo.

O ju-jutsu foi substituído pelo judô, nome que pode ser traduzido como "caminho da vida suave", pois em japonês *jutsu* significa técnica e *do* significa caminho, senda, uma maneira de viver. Portanto, o judô seria a teoria de vencer por meio da suavidade, ou seja, controlar a agressão usando a força do oponente sem agir contra ela. Esse é um conceito muito conhecido no meio marcial do Japão e que pode ser usado também nos relacionamentos humanos.

Hoje, no Brasil, segundo as últimas estatísticas, mais de 800 mil pessoas estão envolvidas com o judô, que é também um importante esporte olímpico. Ao ler este livro em inglês, percebi que ele transmite claramente a idéia de que, embora seja muito importante que as pessoas desenvolvam a sua força pessoal, se não utilizarem essa força em benefício dos outros, muito pouco poderão realizar de realmente significativo. É exatamente isso o que falta a muitos praticantes das artes marciais japonesas, ignorantes do lado espiritual que deu origem a essas tradições. Isso faz com que se tornem praticantes violentos, excessivamente competitivos e com uma visão equivocada que acaba por distorcer as bases dessas artes. O mesmo acontece com leigos do mundo todo e também no Brasil, onde se acha que "faixa-preta" é alguém que gosta de brigar ou é bom de briga. Isso faz com que muitas pessoas que poderiam se beneficiar da prática do judô e dos demais caminhos marciais do Japão nem sequer se interessem por conhecer melhor essas atividades extremamente humanistas, por achar que são apenas esportes ou artes de defesa pessoal. Esses caminhos marciais (budo) podem ajudar muito a nossa pátria, mudando a forma de pensar e sentir dos brasileiros e levando-os a ajudar, com a sua nova consciência, a tornar o Brasil um lugar digno de se viver. O judô autêntico, aquele ensinado por Kano, quando praticado regularmente, tem um grande poder de educar a mente, o corpo e o espírito.

Este livro, que expressa a grandeza de alma de Kano, precisava chegar às mãos de quem tem, ou pretende ter, poder de mudar as coisas aqui no Brasil. Por isso achei oportuno que ele fosse lido por todos os budocas brasileiros, sejam eles praticantes de artes marciais ou empresários e líderes de outros setores. Embora tenha sido escrito por Kano, o fundador do judô, ele deve ser lido não apenas pelos praticantes dessa arte, mas pelos adeptos de todas as artes marciais, inclusive pelos meus alunos de aikido. Então propus à Editora Pensamento que ele fosse publicado no Brasil, pois tenho certeza de que sua leitura beneficiará muitos praticantes e simpatizantes das artes marciais, além de trazer novos adeptos à prática do budo.

A idéia de que a mente predomina sobre os músculos não é útil apenas no tatame, para quem estuda o judô e o aikido, mas também no cotidiano, quando o empenho para superar conflitos de maneira harmoniosa é o que realmente importa. Embora o judô seja um dos esportes mais importantes no Brasil e no mundo, certamente mais significativa é a sua função educativa, moral e espiritual. Nas palavras de Kano, o aprendizado de dois ensinamentos – *jukuryo danko* (ação decisiva após cuidadosa deliberação) e *tomaru tokoro o shire* (saber quando parar) – explicados claramente nesta obra, se aplicados corretamente no dia-a-dia, não serão benéficos apenas para o desenvolvimento das técnicas marciais, mas também para a formação do indivíduo como membro da sociedade.

Este livro deve ser lido por todos os professores de artes marciais e por quem quer que queira se aprofundar no estudo dessas artes. Será com certeza uma leitura obrigatória no Instituto Takemussu, sob minha direção, e continuará sendo um clássico por muitas gerações.

Agradeço imensamente a Jaqueline Freire, minha aluna, pelo grande esforço que despendeu me ajudando a fazer esta tradução, reservando-me apenas o trabalho de revisá-la.

Wagner Bull
Presidente da Confederação Brasileira de Aikido
Instituto Takemussu Brazil Aikikai.
Fone (011) 55816241
www.aikikai.org.br

PREFÁCIO

Em 1882, Jigoro Kano fundou o judô Kodokan no templo de Eishoji, na área de Shitaya, em Tóquio, logo depois que a cidade mudou de nome, antes chamada Edo. O judô Kodokan foi produto da devoção de toda a vida de Kano ao antigo ju-jutsu, que ele reorganizou de maneira didática, tomando muito cuidado para preservar suas tradições clássicas. Desde então, o judô já se espalhou por 187 países e regiões por todo o mundo.

Kano acreditava firmemente que, comparado aos esportes de outros países, o ju-jutsu oferecia um método superior de treinamento mental e físico e, com o acréscimo de uma filosofia adaptada à sociedade moderna da era Meiji (1868-1912), seria um meio excelente de instrução. Segundo ele, o objetivo da prática do judô é o aperfeiçoamento físico, mental e moral, e o uso desses poderes para o bem da sociedade.

Em 1911, o judô foi introduzido no currículo das escolas do Japão e começou a se difundir pelo país. Com o desejo de também popularizar o judô em todo o mundo, Kano se dedicou a introduzir o judô em outros continentes. Ele declarava assim seu propósito: "O Japão já aprendeu muitas coisas com outras nações do mundo. Em troca, ele deve ensinar algo ao mundo. No futuro, se o Japão ensinar o judô que eu apoio, não apenas contribuirá pela primeira vez para a cultura mundial, mas também reforçará o seu próprio desenvolvimento internacional, com os grupos que aprenderam judô desempenhando um papel fundamental". Aqui está o conceito de *jita kyoei* (bem-estar mútuo), que, junto com o *seiryoku zenyo* (máxima eficiência), traduz um dos principais valores do judô. O autor se esforça para explicar esses valores e demonstrar que eles podem servir como um princípio unificador para todos os aspectos da vida, contribuindo, por fim, para o aprimoramento da sociedade.

Após fundar o judô Kodokan, o mestre Kano devotou a vida à sua filosofia. Depois de se tornar membro do Comitê Olímpico Internacional, ele contribuiu para o bem-estar mútuo em forma de paz mundial, por meio dos Jogos Olímpicos. Em seus últimos anos, ele conseguiu levar os Jogos Olímpicos a Tóquio, realizando assim seu sonho de apresentar as pessoas de todo o mundo aos cidadãos japoneses e a beleza do Japão às pessoas do mundo todo. De fato, não seria exagero dizer que mestre Kano é a personificação de *jita kyoei*. É meu desejo sincero que, por meio da leitura cuidadosa deste livro, os leitores adquiram uma compreensão do espírito do judô e, dentro do possível, conduzam suas vidas de acordo com essa filosofia.

Yukimitsu Kano
Presidente, Kodokan

Capítulo 1
O DESENVOLVIMENTO DO JUDÔ

UMA BREVE HISTÓRIA DO JU-JUTSU

Ju-jutsu — Uma Arte de Ataque e Defesa

Uma verdadeira compreensão do judô necessariamente envolve algum conhecimento da história das tradições marciais do Japão, em particular o *ju-jutsu*. Muitas pessoas conhecem o termo ju-jutsu, mas acho que elas ficariam perdidas se lhes pedissem para explicar o que isso significa. Existem várias escolas que fazem coisas bem diferentes mas compartilham o nome jujutsu, enquanto outras fazem as mesmas coisas usando nomes diferentes. Além disso, existe uma grande variedade de técnicas, como o estrangulamento, a torção de braço, o chute, o empurrão, o arremesso, e tudo isso fica sob o nome coletivo de ju-jutsu. Também há vários nomes como *taijutsu, yawara, judo, kogusoku, torite, kenpo, hakuda* e *shubaku*, mas todos eles são tipos de ju-jutsu. Entretanto, os termos *kogusoku* e *torite* geralmente se referem a métodos de prática de captura; *taijutsu* e *judo* se referem principalmente à prática da luta corporal com armas e arremessos – essa é a única diferença real entre eles. Tendo em vista os muitos nomes diferentes e métodos de treinamento das artes marciais, é impossível dar uma explicação simplificada que esclareça as diferenças entre elas.

Entretanto, se quisermos descrever de maneira simplificada todas essas artes marciais, poderíamos dizer que todas são técnicas de ataque e de defesa contra um inimigo, nas quais não se usa armas ou apenas uma arma curta. Mas como o termo "ju-jutsu" é mais conhecido, eu o usarei aqui como um termo genérico para abranger todas as artes marciais que mencionei acima.

Qual é a origem do ju-jutsu? Segundo a tradição, no século XVII um homem chamado Chen Yuan Ping levou as técnicas do ju-jutsu da China para o Japão. Três *ronin* (samurais sem mestre) – Fukuno Hichiroemon, Miura Yojiemon e Isogai Jirozaemon – foram inspirados pelos ensinamentos dele e desenvolveram um estilo próprio de ju-jutsu. Em outras escolas, fala-se que um médico chamado Akiyama Shirobei, de Nagasaki, foi para a China e aprendeu o hakuda, e ao retornar criou o ju-jutsu. Existe outra teoria de que o ju-jutsu começou na era dos deuses e é uma invenção puramente japonesa.

Minha opinião pessoal é que o ju-jutsu foi criado inteiramente pelos japoneses. A teoria de que Akiyama foi o fundador do ju-jutsu é defendida apenas por um grupo dentro do Yoshin-ryu, e eu nunca ouvi essa teoria de mais ninguém. Talvez a origem desse grupo da Yoshin-ryu seja diferente da dos demais estilos, mas por várias razões, não acredito que o ju-jutsu tenha se iniciado com Akiyama. A crença muito difundida de que Chen Yuan Ping foi o fundador do ju-jutsu é questionável, porque ele veio para o Japão em 1659 e morreu em 1671. Se Chen Yuan Ping trouxe o ju-jutsu para o Japão, provavelmente era apenas sob a forma de kenpo e hakuda, artes marciais praticadas naquela época na China, e não as formas nativas de ju-jutsu praticadas no Japão. Na verdade, existem textos que demonstram que Chen Yuan Ping trouxe apenas o kenpo para o Japão.

Uma consulta aos livros chineses da época revela que kenpo e hakuda eram técnicas que envolviam principalmente chutes e empurrões. É improvável que tenham progredido a um nível tão elevado quanto o ju-jutsu japonês. Por essa razão, mesmo que Chen Yuan Ping tenha ensinado o kenpo, deve-se dizer que o verdadeiro ju-jutsu reverenciado por nossos predecessores foi criado e estabelecido pelos japoneses. Além do mais, técnicas que envolviam socos e empurrões eram praticadas no Japão muito antes da chegada de Chen Yuan Ping. Acredita-se que o Takeuchi-ryu de kogusoku tenha sido criado em 1532, e muitos escritos a partir da metade do século XVII incluem as palavras *yawara* e *kumiuchi* (pegada).

É improvável, por todas essas razões, que Chen Yuan Ping tenha alguma ligação especial com a origem do ju-jutsu. Eu de fato não acredito que haja qualquer ligação. É plausível, no entanto, que ele tenha ensinado uma série de técnicas de kenpo para Fukuno, Miura e Isogai, transmitido algum outro ensinamento e travado esclarecedoras discussões com eles, motivando seus treinamentos. Nessa época, dizer que alguém tinha aprendido algo com um chinês era como dizer, hoje em dia, que tinha aprendido algo com um ocidental; é bem provável que as outras pessoas considerassem esse ensinamento algo digno de respeito.

Por esse motivo, não podemos determinar o ano ou o mês em que o ju-jutsu se iniciou, mas apenas dizer que ele evoluiu desde os tempos antigos através de muitas gerações, graças à genialidade de várias pessoas. Entretanto, não se acredita que ele tenha ganho popularidade e atingido o *status* atual antes da época de Chen Yuan Ping; ou seja, até meados do século XVII. Desde então, ele atravessou vários graus de reconhecimento. Na época da Restauração Meiji, em 1868, ele já tinha se difundido aos poucos pelo país e muitas escolas já estavam firmemente estabelecidas.

O Propósito do Ju-jutsu

O propósito original do ju-jutsu era a prática de um método de combate. Como há muitas variações do que pode ser considerado "combate", o ju-jutsu se desenvolveu em muitos estilos, cada um com métodos distintos. Em um estilo, a intenção era principalmente derrubar e matar o oponente, enquanto, em outro, era capturar o oponente ou matá-lo por meio de golpes em pontos vitais. Entretanto, assim como o dinheiro, um meio de troca, passou a ser mais valorizado do que os bens que pode comprar, também o ju-jutsu passou a ser reverenciado pelas técnicas em si, e não pela sua função como meio de combate. Certas escolas e estilos vieram a ser estudados como algo bastante distante do conceito de combate.

Embora o combate esteja no cerne da prática do ju-jutsu, a educação física e o treinamento mental sempre estiveram entre as suas metas. Esse quase nunca foi um ponto de discussão, pois o treino para a luta exige que se mova o corpo de várias maneiras, o que levou o ju-jutsu a se tornar indiretamente um tipo de educação física. Entretanto, pela mesma razão, ele também se tornou um método de treinamento da mente. Todas as formas de combate requerem inteligência e o uso de vários truques e expedientes; por isso, durante o treinamento do ju-jutsu, a mente é inconscientemente treinada de várias maneiras. Coragem, postura, e outros fatores benéficos para a vida também podem ser desenvolvidos.

Mesmo não estando livre de falhas, o ju-jutsu como um todo é uma herança cultural realmente valiosa que deve ser preservada. No meu entender, com algumas melhorias o ju-jutsu poderia se tornar um método abrangente de educação física, treinamento intelectual e educação moral. Então passei vários anos desenvolvendo minhas idéias, até finalmente criar o judô Kodokan. Eu fiz isso pesquisando tanto quanto possível o ju-jutsu que até então existia, mantendo o que, no meu entender, valia a pena manter e descartando o restante, estudando profundamente as técnicas e teorias e reformulando-as de uma maneira que fosse aplicável para a sociedade atual.

DO JU-JUTSU AO JUDÔ

Dando Nome ao Judô

A palavra judô é muito usada hoje em dia, mas quase não era ouvida antes da era Meiji (1868-1912). Não que ela nunca tenha sido usada – em Izumo havia um estilo de ju-jutsu chamado Chokushin-ryu que os praticantes chamavam de *judo Chokushin-ryu*. Deve haver outros casos semelhantes, mas são muito raros. Normalmente, as pessoas usavam os termos ju-jutsu, yawara ou taijutsu. É certo que não havia nada semelhante ao judô que conhecemos hoje em dia. Após o estabelecimento do judô Kodokan, em 1882, o termo que era normalmente usado, ju-jutsu, caiu em desuso e foi substituído pelo termo *judo*. Também ocorreram grandes mudanças no que era ensinado, e aqueles que estavam aprendendo gradualmente passaram a se referir ao antigo ju-jutsu como judô. Atualmente, tirando as pessoas que têm pouco contato com os conceitos modernos, todos usam o termo "judô".

Eu tive várias razões para resolver não usar o termo "ju-jutsu", que descrevia o que era praticado antes, e optar pelo termo "judô". A razão principal é que "do" (caminho) é o foco principal do que é ensinado pela Kodokan, enquanto que "jutsu" (técnica) é algo secundário. Eu também queria tornar claro que o judô é uma maneira de se buscar o "do". Quando as pessoas que ensinavam o ju-jutsu antigo tinham visão e habilidade, elas provavelmente ensinavam não apenas o *jutsu*, mas também o *do*. Mas um olhar sobre os verdadeiros resultados de seus ensinamentos e das anotações da época indica que seus métodos de ensino eram um tanto inadequados. Se eu tivesse que resumir a história do judô desde a Restauração Meiji (1868), naturalmente eu iria querer descrever o quanto o ju-jutsu progrediu e se desenvolveu desde então. Mas, na verdade, durante esse meio tempo o ju-jutsu se transformou no judô Kodokan, portanto pode-se afirmar que o ju-jutsu não progrediu ou se desenvolveu desde então.

Quando falamos sobre o ju-jutsu hoje em dia, as pessoas normalmente pensam em uma técnica em que se fazem coisas perigosas como estrangulamento do oponente, torção de membros ou, mesmo em casos extremos, técnicas mortais. Basicamente, pensamos em algo que causa dano ao corpo e que não traz benefícios. O verdadeiro ju-jutsu não é assim. Em particular, o judô Kodokan que criei nunca envolve práticas perigosas. Eu sempre digo que o que eu apóio está longe de ser um esporte violento ou perigoso. No passado, havia um tipo de regulamento que proibia que se ensinasse o ju-jutsu sem uma licença. Essa prática não foi inteiramente abandonada, mas atualmente há menos restrições e com isso muitos começam a ensinar sem ter habilidade suficiente para instruir outras pessoas e acabaram passando-lhes algo que não é o verdadeiro ju-jutsu. Também há aqueles que transformam o ju-jutsu em um tipo de espetáculo; eles cobram entradas e fazem competições em arenas de sumô ou de acrobacias, e as pessoas tendem a pensar que o ju-jutsu é algo rude e deselegante. Por não querer que as técnicas da Kodokan sejam vistas dessa maneira, eu evitei o nome "ju-jutsu".

Algumas pessoas perguntam por que não usei um nome como *jurikagu* (a ciência do ju) ou *juriron* (a teoria do ju) em vez de judô. Foi uma questão de preferência pessoal. Eu achei que os nomes jurikagu e juriron seriam tão inovadores que dariam a impressão de que eu inventei algo. Eu apenas queria garantir que as conquistas dos que se foram antes de mim não fossem perdidas. Assim, usei um nome que já existia e adicionei a ele o nome de meu dojo.

Antes da era Meiji, havia cerca de cem escolas de ju-jutsu, mas entre elas apenas a Kito-ryu, a Kyushin-ryu, a Sekiguchi-ryu, a Shibukawa-ryu, a Yoshin-ryu, a Shin no Shinto-ryu, a Tenjin Shinyo-ryu, a Yagyu-ryu e a Takenouchi-ryu eram mais freqüentadas. As demais se limitavam a poucos praticantes. Algumas dessas escolas tiveram mestres muito respeitados antes e depois da Restauração Meiji, mas não ouvi falar de ninguém entre seus sucessores que os tenha superado ou que tenha feito grandes melhorias em seu estilo de ju-jutsu. Entre os poucos que foram fiéis aos ensinamentos de seus predecessores e os transmitiram estão Tsuchigami Shinsaku, da Shibukawa-ryu, em Tóquio; Sekiguchi Manpei, em Wakayama; Hoshino Kumon, da Shiten-ryu, em Kumamoto; Yano Koji, do Takenouchi Santo-ryu e Eguchi Bizo, do Yoshin-ryu. Todos eles já morreram e seus sucessores estão seguindo seus passos. Aoyanagi Kihei, da Sosuishitsu-ryu, em Fukuoka, que agora é membro da Kodokan, também segue a linha de seus predecessores. Deve haver outros, mas eles são poucos. A história do judô desde a Restauração Meiji é essencialmente a história do judô Kodokan.

O Desenvolvimento das Técnicas

Inicialmente eu estudei o ju-jutsu Tenjin Shinyo-ryu com Fukuda Hachinosuke. Após sua morte, continuei meus estudos com Iso Masatomo, na mesma escola de ju-jutsu, e após a morte deste eu aprendi Kito-ryu com Iikubo Tsunetoshi. Posteriormente, estudei todas as outras escolas. A Tenjin Shinyo-ryu praticava *nage-waza* (técnicas de arremessos), mas enfatizava principalmente *shime-waza* (técnicas de estrangulamento) e *kansetsu-waza* (técnicas de articulações), e também *osae-komi-waza* (técnicas de imobilizações); em comparação, nage-waza era pouco estudado. Kito-ryu era originalmente uma forma de combate corpo a corpo com armadura, e seus nage-waza eram insuperáveis, embora colocassem pouca ênfase em shime-waza, kansetsu-waza ou osae-komi-waza. Então eu mantive os pontos fortes dessas duas escolas e compensei as áreas em que havia falta de estudo aprendendo com outras escolas. Eu finalizei as técnicas após incorporar vários detalhes criados por mim.

A organização do judô Kodokan é hoje basicamente a mesma da época em que eu o criei, mas naquele tempo, quando explicava o judô, eu o dividia em três partes: seu uso como método de luta (arte marcial), como método de treinamento (educação física) e como método de treinamento mental (incluindo o desenvolvimento do intelecto e da moral e a aplicação dos princípios do judô na vida diária, o que vamos explorar no Capítulo 2). Vou agora discutir resumidamente os métodos de luta e de treinamento.

O judô Kodokan emprega um método no qual a luta e o treinamento são aprendidos simultaneamente. A razão é que, quando você pratica a luta, precisa evitar se ferir, ao mesmo tempo em que é interessante desenvolver um corpo forte. Além disso, ao passar pelo treinamento físico, é possível que você se canse de fazer exercícios monótonos, e haverá pouco benefício mental. Mas, se você pode treinar uma defesa contra um ataque ao mesmo tempo, o treinamento se torna interessante e também benéfico. Por essa razão, eu tentei o máximo possível combinar os dois. Entretanto, em alguns casos, se a pessoa não treina a luta como luta e a parte do treinamento como treinamento, fica difícil dominar qualquer uma das técnicas. Assim, no geral, acho que é melhor incorporar outros elementos ao que é principalmente treinamento para a luta, e incorporar elementos diferentes ao que é principalmente um treinamento físico.

São, portanto, usados dois métodos de instrução: *kata* (forma) e *randori* (prática livre). Quando estava criando o Kodokan, eu usei um método que enfatizava o randori, pelo qual o kata era compreendido naturalmente durante a prática do randori. Isso é como ensinar redação sem usar um livro de gramática, ou ensinar os fundamentos da gramática enquanto ensina como escrever um ensaio. Quando havia apenas umas poucas pessoas sendo treinadas, isso não era um problema, mas quando o número de iniciantes aumentou, ficou impossível ensinar o kata e ao mesmo tempo o randori. Então, alguns anos depois de ter estabelecido o judô Kodokan, eu criei quinze katas para arremessos e dez katas para combate, chamados *kime no kata* (formas de defesa pessoal). Depois disso, foi criado o kata para yawara, portanto a maior parte do kata foi concluída em torno de 1887. Nesse período, aqueles de nós que estavam em treinamento éramos completamente apaixonados pelo estudo. É claro que fizemos progressos a partir daí, mas pode-se afirmar que a atual fundação técnica do judô Kodokan foi estabelecida naqueles dias. Outros katas estavam sendo estabelecidos mais ou menos no mesmo período, inclusive o itsutsu no kata (as cinco formas), os dez kata para o katame no kata (formas "corpo a corpo") e os dez katas do goju no kata (também conhecido como go no kata; formas de força).

Durante esse período, a Dai Nihon Butokukai foi estabelecida em Kioto, em 1895. Foram enviados instrutores da Kodokan para lá e eles assumiram funções de consultores e conselheiros. Quando Oura Kanetake se tornou dirigente, é claro que a Kodokan e outras escolas de ju-jutsu tinham seus kata, mas a Butokukai considerou necessário criar um kata único que pudesse ser praticado por todos, e me consultaram para saber sobre como fazer isso. Eu pedi a Watanabe Shishaku que tomasse a frente do projeto de formalizar o kata de kendo, e lhe disse que prepararia o kata do judô. Assim, trabalhamos para estabelecer o kata do judô para a Butokukai. Então pensei que, apesar de ter minhas próprias idéias, seria melhor ter o maior número possível de pessoas participando da criação do kata para a Butokukai. Então, formei um comitê que consistia em dezoito ou dezenove mestres de várias escolas, pessoas que a meu ver poderiam ser boas conselheiras naquele momento, e, sendo eu o diretor, fomos resolver essa questão. Eu apresentei a proposta inicial e pedi opiniões aos membros. O resultado foram o randori kata e o kime no kata, ambos usados tanto como kata da Kodokan quanto como kata da Butokukai.

Entre os randori kata, o nage no kata (formas de arremesso) usado na Kodokan foi estabelecido sem nenhuma objeção, mas quanto ao kime no kata e o katame no kata, houve duas ou três objeções às minhas propostas. Após muita discussão, entretanto, decidimos pelo kata que usamos hoje em dia. Não houve discussão quanto ao ju no kata (formas de gentileza), então foram adotados os que já estavam em uso há muito tempo na Kodokan. Também existe outro ju no kata em uso na Butokukai.

Além destes, também existe o itsutsu no kata. Eu comecei a ensinar estes por volta de 1897 e eles trouxeram uma completa mudança para o judô. No antigo ju-jutsu, o propósito de todas as formas de exercício era, direta ou indiretamente, o ataque ou a defesa contra ataques. Entretanto, as últimas três formas do itsutsu no kata expressam a energia natural por meio do movimento e não têm nenhuma relação com ataques ou defesas. O quinto desses kata é ligado a uma onda que se avoluma, bate no cais e retrocede, levando consigo os navios e casas que se encontram no caminho. No futuro, eu gostaria de criar vários kata desse tipo com o propósito de desenvolver um sentimento estético por meio do movimento e de várias posturas, ao mesmo tempo em que treinamos o corpo. Também foi criado um método de desenvolver um corpo bem proporcionado por meio dos movimentos, para o propósito de defesa contra ataques. Criou-se, assim, um novo tipo de kata. Quando esses dois novos tipos de kata estiverem aperfeiçoados, nós teremos realizado algo que poderá ser chamado de "educação física nacional".

Existem vários métodos de educação física em uso no mundo todo atualmente, mas não há nada ainda que possa ser chamado de "educação física nacional". Hoje em dia, apesar de ouvirmos freqüentemente expressões do gênero "exercício nacional", esses termos são usados, no Japão, meramente como referência à educação física ou a exercícios que são praticados por um número relativamente grande de pessoas. Não existe uma forma de educação física ou de exercício que seja sistematicamente praticado pela maioria das pessoas. Como eu disse antes, a educação física baseada no treinamento técnico do judô deveria ser amplamente praticada no nível familiar e da sociedade, e delineei esses tipos de kata para criar tal coisa. Vários outros tipos de kata poderiam ser criados e, se forem, não apenas os aspectos técnico e físico do judô estarão completos, mas também existirá um judô no qual a beleza das posturas e movimentos poderá ser apreciada.

NAGE-WAZA E KATAME-WAZA

A seguir, eu gostaria de descrever resumidamente a prática livre envolvendo arremessos e técnicas corpo a corpo, referindo-me a elas por seus nomes em japonês. Quando estava treinando, eu praticava muito katame-waza, mas depois que comecei a gostar de nage-waza, ao aprender o Kito-ryu, passei a crer que se deveria dar ênfase a nage-waza nos aspectos técnicos do treinamento do judô. Isso não quer dizer que eu considere o katame-waza inútil, é claro, mas eu insisto na prática de nage-waza no início, e só depois de katame-waza. Faço isso porque começar com katame-waza atrasa o progresso em nage-waza, e é lógico que começar com nage-waza faz com que seja mais fácil lembrar katame-waza em um estágio posterior. Quando criei o judô Kodokan, estimulei a prática de nage-waza precisamente por essa razão. Em resultado, nessa época um grande número de especialistas em nage-waza se juntou a nós nos primeiros anos da Kodokan.

Pelo fato de termos enfatizado o nage-waza, o katame-waza aos poucos foi deixado de lado. Por volta de 1887, mestres de várias escolas de todo o país se reuniram no Departamento de Polícia Metropolitana de Tóquio. Entre eles havia especialistas em katame-waza. Ao competir com eles, os praticantes da Kodokan não tinham problemas ao usar nage-waza, mas inicialmente tiveram dificuldades ao usar o katame-waza. A mesma coisa aconteceu em várias competições realizadas na Kioto Butokukai, com especialistas em katame-waza de todo o país – os praticantes da Kodokan ganhavam com facilidade quando usavam nage-waza, mas sentiam dificuldade com relação a katame-waza, com o qual estavam menos familiarizados. Por essa razão, reforçamos a prática de katame-waza, na qual a Kodokan ganhou mais proeminência. Atualmente, a maioria dos praticantes da Kodokan pode confiar em sua técnica contra qualquer oponente, seja usando nage-waza ou katame-waza.

Devo ressaltar, entretanto, que apesar de termos progredido na prática de katame-waza na Kodokan, nosso progresso em nage-waza foi interrompido. Existe um limite para a energia do ser humano e, quando se gasta muita energia em uma área, outra área é negligenciada – isso é inevitável. Por isso, agora estou pensando seriamente no randori do futuro. Se katame-waza for praticado depois de se enfatizar nage-waza, será possível que algumas pessoas desenvolvam grande habilidade em ambos. Porém, como as pessoas normalmente não são excelentes em ambos, elas deveriam se concentrar no entendimento de nage-waza, devotando menos energia a katame-waza. Os que têm um interesse particular em katame-waza deveriam praticá-lo como forma principal. No futuro, eu planejo usar essa estrutura ao dar instruções.

Eu comentei sobre as mudanças gerais nas técnicas do judô e gostaria de acrescentar algumas informações sobre as mudanças que foram feitas nas regras do julgamento.

O Aperfeiçoamento das Regras de Julgamento

As regras da Kodokan para julgamento foram escritas no ano seguinte ao do estabelecimento do judô Kodokan, mas não foram finalizadas até 1900, quando as regras compartilhadas com a Butokukai foram criadas. Até então, a Butokukai tinha usado as regras da Kodokan para julgamento, mas eles entenderam que havia a necessidade de regras adicionais e, como a própria Kodokan tinha a mesma idéia, eu esbocei novas regras e as finalizei após ouvir e analisar cuidadosamente as idéias dos mestres que se reuniam em todo o país.

A maioria dos que se reúnem na Butokukai hoje em dia é, direta ou indiretamente, também praticante do judô Kodokan, mas naquele tempo ainda havia praticantes de várias escolas de ju-jutsu. Assim, como usar as regras de julgamento da Kodokan não era vantajoso para eles, quando os regulamentos foram propostos, foram feitas várias concessões. Por exemplo, se uma pessoa usava muitas técnicas ineficientes e se jogava no chão com medo de ser arremessado, isso seria perdoado e não seria considerado uma falta. Quando essa regra foi formulada, sabíamos que ela geraria alguns efeitos negativos, mas, quando a colocamos em prática, descobrimos que tinha muitas falhas. Eu conversei com o presidente da Butokukai e com outras pessoas, e me perguntaram o que poderia ser feito para melhorar essa situação. Ao final, decidimos revisar a regra e, após vários encontros com as principais pessoas envolvidas, tanto em Tóquio quanto em Kioto, finalmente formulamos regras revisadas para julgamento em 1922. No entanto, ainda encontramos deficiências nas novas regras, e após maiores revisões as regras atuais foram estabelecidas em 1925. Pode haver a necessidade de novas revisões no futuro, mas acho que não há dúvida de que as regras de julgamento ficaram muito melhores após vários anos de estudo.

A Ascensão do Judô Kodokan
e o Declínio das Escolas de Ju-jutsu

Eu comentei antes que no passado o número de escolas de ju-jutsu no Japão chegava a cem, e que esses estilos de ju-jutsu eram praticados em todo o país. Após a Restauração Meiji, elas declinaram tão rapidamente que em certo ponto pareceu que o ju-jutsu iria desaparecer completamente. Mas por volta de

1877, o ju-jutsu começou a passar por uma recuperação gradual e a ser praticado pelo Japão todo, até que ganhou a popularidade que vemos hoje.

O *gekiken* (uma forma de esgrima) seguiu um caminho semelhante, mas, diferentemente do judô, os praticantes de gekiken de hoje seguem estritamente as regras antigas. Já o judô, por outro lado, voltou a se desenvolver em 1882 a partir de uma linha de estudo e, embora tenha mantido alguns de seus elementos, é bastante diferente do antigo ju-jutsu.

A política educacional do passado era não ensinar a teoria no início para que depois os alunos praticassem as aplicações. Em vez disso, os instrutores ensinavam aos alunos as técnicas que haviam apreendido durante seu próprio aprendizado e esses pupilos passavam essas técnicas a seus alunos. Portanto, o princípio básico que serviria como objetivo principal do ensino não era claro.

Vou dar um exemplo com base no que aprendi a partir dos ensinamentos de meu mestre. Uma vez meu mestre me arremessou da maneira que hoje chamamos de *sumi-gaeshi* (arremesso em diagonal). Eu não sabia como ele tinha feito aquilo, então lhe perguntei. Ele não disse nada e continuou a usar a técnica em mim, repetidamente. Eu implorei para que ele me explicasse como fazia aquilo e ele usou a técnica em mim novamente. Dessa vez, pedi a ele que explicasse em detalhes, como puxar os braços, como posicionar as pernas, como abaixar o quadril, sem usar o waza em mim. Então o mestre respondeu: "Mesmo que você pergunte algo assim agora, a resposta não será útil para você. Mas, se repetir o waza várias vezes e praticar, você aos poucos compreenderá". É claro que, como instrutor, às vezes ele dava explicações ou respondia às perguntas, mas geralmente havia poucas palestras baseadas nos princípios ou análises seguidas de explicações.

Na Kodokan, estudamos e praticamos técnicas com o propósito de usar a energia mental e física da maneira mais eficiente possível para atingir objetivos, não importa quais sejam – eis o princípio básico do judô. Portanto, as pessoas que passam por treinamento não imitam meramente as ações do mestre nem praticam sem compreender as razões por trás do que estão fazendo; elas estudam os métodos e treinam de acordo com princípios detalhados. Por essa razão, o que antes levava cinco ou seis anos para ser aprendido, agora é atingido em três anos.

Quando estabelecemos a Kodokan, a maioria das pessoas foi para os dojos de ju-jutsu, que estavam voltando a ganhar popularidade, pois não estavam acostumadas com nossos métodos de ensino. Mas essas pessoas perceberam que o método de ensino usado na Kodokan era superior e acabamos recebendo muitos alunos. Agora, o currículo de certos dojos que apoiavam o ju-jutsu de antigamente passou a ser o mesmo da Kodokan.

A superioridade do judô Kodokan é resultado das razões que descrevi; ao passar pelo treinamento do judô Kodokan, o aluno não deve esquecer esses méritos. Nos últimos tempos, como o judô se tornou mais popular, em alguns casos faltam o método educacional e o espírito fundamental do judô. Portanto, minha esperança é que aqueles que estão em treinamento, tanto quanto os instrutores, dêem a devida atenção a essas questões.

Capítulo 2
O ESPÍRITO DO JUDÔ

SEIRYOKU ZENYO: A ESSÊNCIA DO JUDÔ

Ju Yoku Go o Seisu

Ao contrário de artes marciais como o *kenjutsu* (esgrima), o *sojutsu* (uso da lança) e o *kyujutsu* (arco e flecha), nas quais o praticante usa armas, o judô é um método de defesa contra ataques no qual geralmente não se usam armas. Mesmo que às vezes o uso de certas armas seja aceitável, essa é uma ocorrência rara durante a prática – essa é uma característica particular do ju-jutsu. O kenjutsu, o sojutsu e o kyujutsu são artes marciais cujos nomes derivam das suas respectivas armas, e o aprendizado envolve principalmente o manejo dessas armas. O ju-jutsu, por outro lado, mesmo não proibindo o uso de armas, não se limita a nenhum método em particular de defesa contra ataques.

Há vários registros antigos transmitidos através dos tempos sobre o verdadeiro significado do termo "ju-jutsu", mas poucos deles são precisos. Pode-se dizer que esse nome aparentemente deriva de *ju yoku go o seisu*, que pode ser traduzido como "o suave controla o duro". Essa expressão merece uma atenção maior.

Vamos imaginar que eu tenha um oponente cuja força, numa escala de 1 a 10, tenha uma potência 10, e precise enfrentá-lo com a minha força de potência 7. O que acontecerá se eu resistir quando meu oponente me empurrar com toda a sua energia? Serei vencido, mesmo que eu use toda a minha força. Se, em vez de resistir a esse oponente que é mais forte do que eu, eu me adaptar e me ajustar à força dele e me afastar, ele cairá para a frente, impulsionado pela força de seu próprio ataque. Sua força de potência 10 se tornará apenas uma força de potência 3 e ele tropeçará e perderá o equilíbrio. Eu não estarei desequilibrado e, portanto, poderei me afastar, manter minha postura e minha força original, de potência 7.

Em resumo, se resistir a um oponente mais forte, você será derrotado; mas, se você se ajustar e evitar o ataque do oponente, fará com que ele se desequilibre, tenha a sua força reduzida e seja derrotado. Essa estratégia pode ser usada seja qual for a "potência" da força usada, e possibilita que oponentes mais fracos vençam outros muito mais fortes. Essa é a teoria do ju yoku go o seisu.

Contudo, com uma observação mais atenta, torna-se óbvio que nem sempre podemos explicar as coisas usando a teoria do ju yoku go o seisu. Imagine que alguém segure meu pulso. O punho se tornará o ponto de apoio de uma alavanca. Se eu colocar toda a minha força no pulso e resistir à força do polegar e dos dedos que me seguram, sou claramente o mais forte. Eu tenho uma vantagem, especialmente porque faço uso do ponto de apoio. Nesse caso não é possível dizer que eu esteja vencendo meu oponente com o uso de ju yoku go o seisu. Esse é um exemplo de uma pessoa mais forte vencendo habilmente outra mais fraca, por isso existe uma diferença.

Durante uma competição, a pessoa pode chutar o oponente. Isso também não pode ser chamado de ju yoku go o seisu. Esse é um caso em que se canaliza a força numa certa direção, chutando o oponente em pontos vitais para causar dano. Ocorre o mesmo com o empurrão com um braço, com um corte com uma espada ou com um ataque com um bastão – esses ataques não se adequam à teoria do ju yoku go o seisu.

Quando visto dessa forma, o nome ju-jutsu é apenas um nome que era usado para descrever um método de defesa contra ataques em certas situações. Mas o verdadeiro sentido da arte marcial ensinada como ju-jutsu ou taijutsu não era tão simples. Ju yoku go o seisu é apenas uma teoria entre várias outras, portanto, não é uma expressão que abrange tudo. Mesmo nos chamados ju-jutsu, yawara ou taijutsu antigos, a teoria do ju yoku go o seisu não era suficientemente abrangente para explicar os vários tipos de waza, e apenas servia como uma explicação parcial.

Vejamos outro exemplo. Suponhamos que alguém o segure por trás. Tentar escapar disso usando o ju yoku go o seisu é quase impossível. Se você quiser se adaptar a essa força, o que pode fazer é expirar o ar dos pulmões e contrair o peito. Mas você não vai conseguir se soltar apenas fazendo isso. Nesse caso, outra teoria deverá ser aplicada. Quando uma pessoa segura você, inicialmente ela não pode usar muita força, então, antes que ela utilize toda a força, você tem de encontrar uma maneira adequada para escapar usando um waza.

Existe uma história muito conhecida que é assim:

Um *jujutsuka* (praticante de ju-jutsu) foi agarrado por um lutador de sumô. Nesse momento, o jujutsuka disse "Você é um lutador de sumô e não consegue segurar mais forte do que isso?" Irritado, o lutador resolveu ajustar sua pegada. Ao fazer isso, afrouxou os braços só um pouquinho. Nesse momento, o jujutsuka rapidamente abaixou o corpo e escapou do lutador.

O mesmo princípio se aplica a *koshi-nage* (arremesso com o quadril) no randori, mas você não vai conseguir escapar apenas com o ju yoku go o seisu. Se o oponente estiver apenas parado, relaxado ou levemente inclinado para a frente, e você adotar uma postura estável, empurrar com firmeza o quadril contra ele, colocar a mão no quadril dele e o puxar em sua direção, seu quadril se torna o ponto de apoio, e o peso abaixo do quadril dele se move para trás. E quando esse peso está sobre seu quadril, ao girar o quadril, mesmo que só um pouco, ou ao puxar a manga dele, você consegue derrubá-lo, mesmo que ele seja grande.

Em resumo, os waza do judô se baseiam em várias teorias. Ju yoku go o seisu é apenas uma pequena parte da teoria dos antigos ju-jutsu e taijutsu. Mas existirá uma teoria que pode ser aplicada em todas as situações?

Seiryoku Saizen Katsuyo

A energia mental e física deve ser usada da maneira mais eficiente possível para que se chegue ao resultado desejado. Isso quer dizer que é necessário que se aplique o método ou a técnica mais eficiente para o uso da mente e do corpo. Se usarmos o termo *seiryoku* para designar a energia mental e física de uma pessoa, isso será expresso como *seiryoku saizen katsuyo* (o melhor uso da energia). Podemos resumir isso como *seiryoku zenyo* (eficiência máxima). Isso significa que, não importa qual seja o objetivo, para atingi-lo você precisa colocar sua energia mental e física para trabalhar da maneira mais eficiente.

Se o método for o *atemi* (golpe), você precisa golpear o ponto vital que gerará o maior efeito. Da mesma maneira, ao desferir um soco, teoricamente seu punho deve golpear um ponto vital em um ângulo reto. Não importa o quanto o movimento de seu punho seja rápido, você precisa ser rápido no momento em que seu punho golpeia o ponto vital. Se a velocidade de seu soco é alta e se a média da força com a qual você golpeia é grande, isso por si só já bastará. Assim, o princípio do seiryoku saizen katsuyo se aplica a todas as formas de atemi.

Quanto ao nage-waza, vamos imaginar que o oponente esteja de pé na sua frente. Se executar um arremesso com o quadril, você empurra o quadril contra o abdome do oponente e, usando o quadril como ponto de apoio, o arremessa. Assim, você deve manter o apoio em um ponto onde o equilíbrio seja bom. Se o ponto de apoio for no peito, a parte acima desse ponto será mais leve que a parte de baixo e, a menos que você tenha uma força descomunal, não vai conseguir arremessá-lo. Se o peso estiver bem distribuído, você conseguirá arremessar o oponente facilmente. Você deve usar bem esse princípio, pois ele possibilitará que você vença oponentes com o dobro ou o triplo do seu peso.

Se colocar a energia para trabalhar de maneira racional, você conseguirá derrubar uma pessoa com muito mais força que você com apenas um dedo – para qualquer direção que

DOIS

você a empurre, se ela estiver relaxada e com o equilíbrio fraco, ela cairá. Se essa pessoa usar a força dela para se mover para a frente, você não poderá resistir a essa força e empurrar, mas se puxar ou empurrar na mesma direção da força dela, ela se desequilibrará e nesse momento você poderá derrotá-la. Mesmo que o oponente tenha o dobro ou o triplo de sua força, você pode executar seu movimento no exato momento em que ele ficar desequilibrado e poderá facilmente arremessá-lo com algo simples como uma rasteira.

Essa técnica do judô pode ser explicada com a teoria do seiryoku saizen katsuyo, mas não pode ser explicada com a teoria de ju yoku go o seisu. No caso do *o-goshi* (grande arremesso com o quadril), quando o oponente é desequilibrado e se curva um pouco para a frente, você encaixa o quadril, coloca a mão nas costas do oponente, puxa-o contra seu corpo, para cima de seu quadril. Depois disso, se você girar o quadril e puxar a manga do oponente, poderá derrubar facilmente até uma pessoa grande. Isso também pode ser explicado com a teoria de seiryoku saizen katsuyo.

Em resumo, o princípio básico do waza do judô é seiryoku saizen katsuyo. A partir daqui vou usar a forma abreviada, "seiryoku zenyo" (colocar sua energia para funcionar de maneira mais eficiente), que é o princípio básico da defesa contra ataques.

Agora que esclarecemos que o seiryoku zenyo é o princípio básico da defesa contra ataques, que tal usarmos isso para outras finalidades? Esse é um princípio básico que pode ser aplicado da mesma maneira a qualquer coisa. Quando eu era criança, aprendi o antigo ju-jutsu. Entretanto, o ju-jutsu não possuía princípios básicos. Eu aprendi vários métodos com um mestre. Ele me ensinou como colocar o quadril e puxar para arremessar um oponente e como fazer um estrangulamento, mas não me ensinou nada sobre os princípios que havia por trás desses movimentos ou como aplicar esses princípios. Como eu continuei estudando, descobri que cada professor ensinava de uma maneira. Não havia uma base para julgar o que estava certo. Essa é a razão pela qual comecei a fazer um estudo aprofundado do ju-jutsu.

Por fim, aprendi com muitos professores de várias escolas, mas, como um método de ensino era diferente do outro, eu achava difícil conciliar essas diferenças. Estudando ainda mais, descobri os princípios que descrevi: para atingir seus objetivos, você precisa usar sua energia de maneira mais eficiente.

Gyaku-Juji — Um Encontro em Paris

Quando eu fui a Paris, H. Ducos* soube de minha viagem e solicitou por meio do embaixador japonês que eu desse uma palestra sobre judô. Eu já tinha saído de Paris e ia fazer uma palestra em Munique, mas quando recebi o telegrama do subsecretário enviado pelo embaixador, retornei a Paris e dei uma palestra para um grande grupo de estudantes, oficiais do governo, soldados e atletas da École du Saar et Metier, no centro de Paris, que é uma escola semelhante a uma escola secundária técnica do Japão. Nesse dia, um estudante judeu chamado Fel-

---

* Hippolyte Ducos (1881-1970), subsecretário de estado para a Educação Nacional.

denkrais* se encontrava na platéia. E os questionamentos que ele fez após a palestra foram muito esclarecedores. Ele me perguntou se poderíamos nos encontrar no futuro para conversar mais. Combinamos uma data para um encontro em meu hotel. Ele tinha um histórico interessante: era um judeu nascido na Rússia, com cidadania palestina e que estudava na França. Ele falava várias línguas, inclusive inglês, alemão, russo e hebraico, e falava francês como um nativo.

Ele me trouxe um livro que tinha escrito sobre judô e me pediu que desse uma olhada. Ainda não tinha sido publicado, era apenas um manuscrito batido à máquina. Ele pediu a minha opinião, mas como o livro estava escrito em hebraico, eu não compreendia. Havia algumas figuras, então pude ter alguma idéia sobre o conteúdo. Ele tinha também um tipo de manuscrito em francês e me pediu para olhar esse também. Meu francês não é nada bom, mas consegui ter uma idéia básica do que havia lá. Enquanto eu lia, percebi que havia erros na maioria das partes e eu lhe mostrei vários erros. Foi muito interessante. Ele era um homem fascinante, que tinha aprendido um pouco de judô, lido vários livros e estudado muito. Eu não sabia que havia tantos livros sobre judô em línguas européias, mas quando lhe perguntei ele me contou que tinha estudado judô lendo mais de quarenta livros diferentes.

Um dos movimentos sobre o qual ele havia lido é o *gyakujuji* (cruz reversa), em que você segura a gola do oponente com os braços cruzados para fazer um estrangulamento. O livro dele dizia que, colocando o punho na garganta do oponente e em-

---

* Moshe Pinhas Feldenkrais (1904-1984), físico, praticante de judô e fundador do método Feldenkrais em educação de movimento.

purrando para a frente, a pessoa que estava sendo estrangulada podia soltar a pegada. Feldenkrais tinha se graduado em uma escola técnica francesa e trabalhava como um tipo de assistente na Sorbonne, o que quer dizer que ele tinha o nível de instrução de uma pessoa que freqüenta a escola secundária no Japão. Ele era jovem, mas por estar estudando com pessoas muito cultas, tinha também muita cultura. Ele compreendia bem a teoria.

Para lhe mostrar os erros do livro, em vez de apontá-los, eu o segurei em uma chave reversa firme e lhe disse "tente se livrar disso!" Ele empurrou minha garganta com o punho com toda a força. Como ele era bem forte, minha garganta ficou dolorida, mas eu pressionei suas artérias carótidas pelos dois lados com as duas mãos, impedindo que o sangue chegasse à cabeça e fazendo-o desistir.

Dependendo de onde você segura o oponente, num ponto mais alto ou mais baixo, o mesmo gyaku-juji fica diferente, mas Feldenkrais não tinha entendido que, se você não segurar o oponente no alto da gola, a técnica não será eficiente. O sangue não chegará à cabeça, portanto, se você segurar no ponto mais alto, quanto mais pressionar, maior será a pressão sobre a artéria carótida. Se sua pegada for muito embaixo, o oponente que tiver um braço longo e forte poderá impedi-lo de pressionar sua carótida e você terá de afrouxar a pegada. Essa é uma aplicação da teoria de fazer o melhor uso da sua energia mental e física. Se sua pegada for baixa, o movimento não será eficiente. Se você segurar mais em cima, a pressão será aplicada na artéria carótida. Eu expliquei que ele não tinha considerado a necessidade de se aplicar pressão nessa artéria. Ele ficou muito impressionado e me pediu que eu levasse o livro comigo, para dar uma olhada quando tivesse tempo e lhe avisasse sobre outros erros. Eu lhe expliquei com delicadeza que não teria tempo para fazer correções detalhadas, mas fiz mais dois ou três comentários.

Esse encontro ajuda a demonstrar a teoria do seiryoku zenyo. O método anterior de Feldenkrais não fazia uso eficiente da energia mental e física, enquanto que o método de gyaku-juji que eu lhe demonstrei usava a energia mental e física de maneira eficiente. Todas as técnicas de judô são governadas por esse princípio básico, e elas devem ser amplamente estudadas e praticadas.

O JUDÔ E O TREINAMENTO FÍSICO

Uso na Educação Física

No passado, havia mais de cem escolas de ju-jutsu no Japão. Hoje em dia, a maioria delas existe apenas no nome, e poucos dojos são conhecidos pela escola à qual são afiliados. Todas foram unificadas como judô Kodokan. Isso aconteceu porque, no método antigo, o princípio básico não era ensinado, então as pessoas ensinavam coisas diferentes com base em suas próprias idéias. O judô se baseia no princípio fundamental que já mencionei. Os métodos antigos corretos foram preservados, os erros foram descartados e novas técnicas foram acrescentadas, formando este método que apresento aqui. Em geral, a aplicação do princípio fundamental é a base de toda a instrução.

Assim, as técnicas que, pelo método antigo, levavam cerca de cinco anos para serem dominadas, com o método atual podem ser agora aprendidas em dois ou três anos. E pesquisas de alto nível não podem ser feitas a menos que sejam baseadas nesse princípio; ou seja, o método Kodokan, que unificou as artes marciais depois do fim do ju-jutsu antigo. Por isso acho que é justo dizer que fomos bem-sucedidos ao aplicar esse princípio fundamental às artes marciais de defesa contra ataques. Se fomos bem-sucedidos nisso, seremos igualmente bem-sucedidos ao aplicá-lo a outras áreas. Por isso passei a aplicá-lo à educação física.

Para aplicar esse princípio, primeiro é preciso conhecer muito bem a finalidade da educação física. Se você quer sufocar o oponente, deve estrangulá-lo; se quer atacar pontos vitais, deve usar o atemi. Essas finalidades são claras, portanto, a forma de executá-las de maneira eficiente também é clara. Por exemplo, se sua finalidade é golpear pontos vitais do oponente e matá-lo ou derrubá-lo, deve usar o método mais eficiente. Se seu braço se move lentamente, não se trata de atemi. Você precisa se mover rapidamente. Empurrar com força não é bom, por isso não convém fazer isso. O melhor é empurrar rapidamente e com habilidade, e não com força bruta. Portanto, quando a finalidade está clara, você sabe onde colocar sua energia de maneira mais eficiente para atingir seu objetivo. Mas, se você não estabelecer o objetivo da educação física, não saberá muito bem onde colocar sua energia de maneira mais eficiente.

Atualmente, se você viajar pelo mundo, encontrará pessoas que têm uma vaga compreensão disso, mas que parecem não ter metas definidas. Certos métodos de educação física ao redor do mundo não têm uma finalidade que seja completamente compreendida. No meu modo de ver, a finalidade da educação física é desenvolver um corpo forte e saudável, e treinar esse corpo para que venha a ser útil para a sociedade, ao mesmo tempo que desenvolve a habilidade de cultivar a mente. Eu imagino que a maioria das pessoas concordaria com isso.

Os ginastas suecos e dinamarqueses, por exemplo, não costumam cultivar a mente. É claro que toda pessoa tem seus méritos, mas quantas pessoas buscam esse tipo de ginástica? As pessoas só a praticam quando ela faz parte de um currículo escolar regular, mas quase ninguém pratica ginástica sueca ou dinamarquesa porque elas são úteis ou interessantes. A finalidade da educação física é desenvolver um corpo saudável, mas é um grave erro acreditar que, se você desenvolveu um corpo forte com músculos rijos, isso é sinal de que atingiu o objetivo da educação física. O desenvolvimento de músculos dessa maneira exige um grande esforço diário, portanto exige o gasto de uma grande quantidade de energia, que é desperdiçada.

O famoso lutador americano Dalue uma vez veio me visitar. Ele tinha um corpo bem desenvolvido e forte, e não perdia uma oportunidade para mostrar seus músculos. Eu me peguei rindo silenciosamente desse absurdo, mas eu não queria ridicularizá-lo, portanto nada disse. Quando, numa ocasião posterior, fui aos Estados Unidos, ele me encontrou em São Francisco e me disse que iria também me encontrar em Los Angeles, mas eu preferi evitar outro encontro. Eu me sentiria muito embaraçado em ser recebido por ele e deixar que pensasse que eu compartilhava suas idéias. Esse tipo de desenvolvimento muscular não é algo a ser admirado. Isso pode agradar a algumas pessoas, mas, para todos os americanos ou japoneses ficarem assim, teríamos de sacrificar alguma área do nosso desenvolvimento pessoal. Esse tipo de esforço excessivo para desenvolver os músculos, que deixa de lado o desenvolvimento de outras áreas, não merece elogio.

A Importância dos Esportes

É necessário desenvolver os músculos até certo ponto, e desenvolver um corpo sadio, que funcione perfeitamente e tenha uma musculatura harmoniosa, é o ideal do ponto de vista fisiológico. Essa deve ser a finalidade da educação física. Mas se não há nada de útil nesse desenvolvimento, a educação física não tem muito valor.

Nesta era em que o cérebro humano está se desenvolvendo rapidamente, os jovens não querem praticar o tipo de educação física que era praticado antigamente, a menos que se ofereça algo que os interesse. Por causa dessa falta de interesse na educação física, a competição foi enfatizada. Os jovens são sempre atraídos pela competição e, por competirem com a idéia de que devem vencer, eles não têm medo de desenvolver a musculatura de modo desequilibrado. Alguns de seus músculos são desenvolvidos e outros, negligenciados. Em certos casos, na busca incessante pela vitória, eles abusam do corpo e causam danos a eles próprios; isso tem se tornado um acontecimento comum.

Pelo fato de os esportes atraírem os jovens, muitas pessoas têm se interessado pela educação física. E, nesse sentido, isso é uma coisa boa. Mas o melhor tipo de exercício é aquele que promove o desenvolvimento sadio do corpo, do ponto de vista fisiológico, sem lhe causar danos. Um exercício como a natação leva ao desenvolvimento de um corpo bem proporcionado e não desperdiça muito esforço. É essencial para países como o Japão, que é cercado de água, que seus cidadãos gostem do mar e que não tenham medo dele, pois ele faz parte do cotidiano das pessoas que usam transportes marítimos, praticam a pesca ou servem na Marinha. Portanto, como educadores, temos estimulado as pessoas a se dedicar a atividades como a natação. As caminhadas e as corridas também são bons exercícios físicos, assim como alguns tipos de ginástica com aparelhos. O ideal é escolher algo que traga benefícios, como uma atividade que o ajude a desenvolver um corpo saudável e que seja útil no dia-a-dia. Não é recomendável praticar uma atividade física só porque ela está na moda.

De modo geral, o ponto forte dos esportes é o fato de serem competitivos, o que desperta o interesse dos jovens. Não importa o quanto seja valioso o método de educação física, se não for colocado em prática, ele não servirá a nenhum propósito – e aí está a vantagem dos esportes. Mas nesse sentido também há questões que devemos considerar cuidadosamente. Primeiro, o principal propósito dos esportes não é a educação física; as pessoas competem por outra razão, ou seja, para vencer. Assim, os músculos não são necessariamente desenvolvidos de uma maneira equilibrada; em alguns casos, o corpo é muito exigido ou até lesionado. Por essa razão, mesmo não havendo dúvidas de que é muito bom praticar esportes, é preciso analisar com cuidado o tipo do esporte e o método de treinamento. Os esportes não devem ser praticados de maneira descuidada, com exageros ou sem restrições. Entretanto, é seguro dizer que os esportes competitivos são uma forma de educação física que deveria ser promovida com essa ressalva em mente.

Eu só me empenhei, durante mais de vinte anos, para popularizar os esportes e para levar os Jogos Olímpicos para o Japão porque reconheço esses méritos. Entretanto, em momentos como esse, quando muitas pessoas estão entusiasmadas com os esportes, eu gostaria de lembrá-las dos efeitos adversos do esporte. Eu também insisto em dizer que elas devem ter em mente a finalidade da educação física – desenvolver um corpo saudável e útil na vida diária – e saber se o método de treinamento está ou não de acordo com o conceito de seiryoku zenyo.

A Educação Física Ideal

Vamos dar uma olhada nas ginásticas, outro método de educação física muito praticado.

As ginásticas são geralmente baseadas na fisiologia e na anatomia, por isso não provocam o desenvolvimento de um corpo desequilibrado nem causam danos aos órgãos internos. Mas esse tipo de exercício tem desvantagens. Como os movimentos não têm significado e os exercícios não trazem benefícios secundários, eles não são interessantes. A ginástica é muito praticada no Japão e em outros países, mas poucos estudantes continuam a praticá-la depois de saírem da escola. Isso acontece porque ela é composta de exercícios sem sentido, que não têm uso prático. Não importa o quanto um método seja ensinado no período escolar; se as pessoas não continuam a praticá-lo, não há muita vantagem em ensiná-lo.

Então o que deve ser feito? Devemos adotar os pontos fortes dos exercícios de ginástica e compensar suas falhas. É claro que há várias outras possibilidades, mas no momento eu tenho duas idéias:

A primeira é incorporar aos exercícios o treino de defesa contra ataques. Métodos de defesa contra ataques são ensinados sob a forma de artes marciais, mas como até então a educação física não era levada em conta no método de ensino, não se podia esperar o desenvolvimento de um corpo bem proporcionado. Se você usa o braço direito, deve usar também o esquerdo. Se você se curva para a frente, deve se curvar também para trás. A idéia é aprender artes marciais e, ao mesmo tempo, exercitar cada parte do corpo. Isso pode ser chamado de "estilo arte marcial" ou "estilo ofensivo e defensivo".

Minha outra idéia poderia ser chamada de "estilo dança". Várias formas de arte, como o *odori* (dança), o *No* e o *shimai* (não-dança) têm sido praticadas tradicionalmente na história do Japão. Pensamentos, sentimentos e emoções são expressos pelos movimentos de braços, pernas, tronco, quadris e cabeça. Muitos estilos foram desenvolvidos, mas não são muito praticados. É claro que artes tradicionais como No e odori não são ideais para o propósito da educação física. Mesmo que tenham valor intrínseco e extrínseco, do ponto de vista da educação física para o público em geral existem muitos obstáculos. Falando francamente, elas não são apropriadas para fomentar o tipo de espírito que tenho em mente ou para desenvolver valores morais. Elas também não são ideais para o desenvolvimento de um físico bem proporcionado. É preciso algo como o odori e o No, mas que tenham sido modificados para se adaptar aos propósitos da educação física. A meu ver isso significa criar várias modalidades diferentes para crianças, homens e mulheres. Por meio dessa prática, as pessoas poderiam melhorar seu físico e desenvolver um espírito nacional, além de refinar seus interesses. Assim, no futuro a educação física poderia ser popularizada por todo o país.

Não é necessário deixar de lado as formas tradicionais de exercício. Quem gosta delas deve praticá-las. Minha doutrina é muito simples: recomendar o que é melhor sem rejeitar as coisas do passado. Portanto, eu não me oponho aos métodos convencionais de educação física do Japão. Mas eu gostaria de delinear a melhor forma de educação física e recomendo que o maior número possível de pessoas a adotem, porque isso resultará em uma forma de educação física que atinge objetivos válidos. Isso significa aplicar o princípio básico do judô – seiryoku zenyo – à educação física.

Agora eu gostaria de discutir como aplicar o seiryoku zenyo ao treinamento intelectual.

O JUDÔ E O
TREINAMENTO INTELECTUAL

O treinamento intelectual pode ser visto de duas maneiras. Mesmo que pelo ponto de vista do aprendizado não devamos fazer uma distinção, na verdade, nem sempre as pessoas que têm um grande conhecimento intelectual compreendem bem as coisas. Cautela, observação, raciocínio, julgamento e imaginação são faculdades mentais, portanto, desse ponto de vista, podemos fazer uma pequena distinção entre ter grande conhecimento intelectual e ter uma boa capacidade de julgamento. No que diz respeito ao treinamento intelectual, podemos fazer uma diferenciação entre acumular conhecimentos e desenvolver poder de compreensão e julgamento.

Na educação atual, as pesquisas sobre o tipo de conexão que pode ser feito entre cultivar poderes mentais e desenvolver o conhecimento são muito inadequadas. Nenhum educador ou professor escolar analisou e discutiu com clareza esse assunto. No entanto, ele é um assunto importante que deve ser estudado com muito cuidado. Na aquisição do conhecimento, existe uma diferença entre a ênfase na análise do conhecimento básico que pode ser aplicado a tudo e a ênfase no conhecimento prático, específico e útil atualmente.

Por fim, você deve definir muito bem suas metas. Quando elas estiverem bem definidas, você deve exercitar sua energia mental e física da maneira mais eficiente possível para atingi-las. Tanto professores quanto alunos devem ter objetivos claros. Apenas com metas claras e objetivas o treinamento mental poderá produzir resultados melhores do que os que vemos hoje.

O que eu chamo de metas são objetivos básicos. Sobrecarregar-se com um monte de objetivos triviais é contraproducente. Se você não analisa se deve colocar mais ênfase no intelecto ou nas emoções nem tem objetivos claros, você não pode praticar o seiryoku zenyo. Você deve primeiro escolher um objetivo e aplicar sua energia de maneira eficiente. Só depois disso os métodos educacionais se tornarão claros, assim como o caminho que você deve seguir.

Eu sempre digo isso para líderes em vários campos, mas a educação precisa se expandir no Japão. No mínimo, seu conteúdo deve ser melhorado. Um grande esforço também deve ser feito para o desenvolvimento do comércio e da indústria, entre outros assuntos que merecem consideração. No setor dos transportes, também existem muitos projetos nos quais o governo deveria investir. O americano Frederick Taylor* é muito honesto quando o assunto é promoção da eficiência, e o Japão está apoiando o assunto, mas não existe um princípio uniforme pelo qual toda a população esteja sendo guiada. Assim, devemos estudar um método que possa ser implementado de maneira eficiente por todos os cidadãos e promover sua implementação – essa é a tarefa mais urgente que existe hoje. Esse

---

* Frederick Winslow Taylor (1856-1915) engenheiro industrial especializado em eficiência, considerado o pai da administração científica.

método é o princípio ensinado pelo judô. Aplicando o seiryoku zenyo a todas essas metas, iremos atingir o progresso e a eficiência em tudo.

O Caminho da Verdade Única

Só se pode esperar a prosperidade de uma nação se a população estiver cheia de energia, e essa vitalidade depende do treinamento mental e físico que as pessoas recebem. As nações poderosas do mundo exploraram todos os caminhos para aumentar o seu poderio e se esforçaram para promover a vitalidade de seus cidadãos por meio de métodos próprios.

Durante a era feudal, o Japão também tinha seu método próprio de educação física na forma das artes marciais. A classe samurai era treinada nessas artes, e o uso de artes marciais como o judô, por exemplo, era considerado o método mais apropriado para a educação física. Mas, com a corrida pela modernização que caracterizou o período da Restauração Meiji (1868), a educação física do Japão por algum tempo ficou mal vista. Uns dez anos depois, essas bases culturais já tinham sido quase esquecidas.

Seria um erro atribuir esse esquecimento apenas à passagem do tempo. Até aquele momento, o judô era ensinado em várias escolas diferentes, e apenas uma parte dos ensinamentos era transmitida em cada escola. Como o objetivo básico do judô era ignorado, os benefícios do treinamento eram limitados. Da mesma maneira, faltava ao método de ensino uma estrutura que o unificasse, o que o tornava, de fato, perigoso em alguns casos. Essa situação causava muita preocupação. Assim, eu trabalhei com afinco em minha meta de reformar o judô, e em 1882 peguei os pontos fortes de cada escola, sem aderir a uma ou duas escolas em particular, e estabeleci o judô Kodokan com base em conceitos científicos modernos e de acordo com princípios educacionais. O mais importante é que eu não enfatizei como meta do judô apenas o treino para a luta, que tinha sido o foco de artes marciais como o ju-jutsu, mas tornei o treinamento mental e físico seu propósito básico. Através dos anos, esse método e sua intenção se tornaram bem conhecidos e propiciaram o progresso de pessoas de todas as classes. O número de pessoas que está seguindo meus ensinamentos aumenta a cada dia, e elas estão correndo para abrir dojos em escolas públicas e particulares, nas cidades e arredores, para buscar instrutores e praticar o judô Kodokan. No momento, tanto no Japão como no exterior, pode-se ver o judô Kodokan sendo praticado com grande entusiasmo.

Desde o estabelecimento da Kodokan, eu explico aos praticantes que o judô Kodokan é originariamente um ensinamento de artes literárias e militares, e que a pessoa deve começar com o waza e depois trilhar o *do* (caminho) do judô. Mas muitas pessoas, mesmo fazendo progressos rápidos com o waza, necessitam de muito treinamento para atingir o ponto de compreender o *do*. Muitas pessoas se interessam pelos exercícios e estudam entusiasticamente seus segredos, mas infelizmente existem aquelas que permanecem indiferentes ao treinamento mental. Na prática do judô, se a energia não for aplicada ao treinamento mental, esse aspecto provavelmente é negligenciado. Portanto, é preciso cuidar do treinamento e trilhar o *do* com um comprometimento sincero com o waza e com o desenvolvimento mental.

O princípio do seiryoku zenyo deve ser aplicado tanto ao treinamento intelectual quanto às áreas que se relacionam com a educação moral. Alunos e educadores oferecem vários argumentos sobre o assunto do treinamento intelectual e da educação moral, mas geralmente não deixam claros seus propósitos nem demonstram equilíbrio entre esses dois treinamentos. Portanto, há várias dificuldades para a aplicação desse princípio. As pessoas podem dizer que o equilíbrio entre o treinamento intelectual e a educação moral não é algo que possa ser quantificado, portanto é inútil querer determinar esse equilíbrio de antemão.

Esse argumento, claro, é perfeitamente razoável, mas esse equilíbrio não precisa ser necessariamente quantificado. Ou seja, o peso relativo de cada um deles pode ser comparado, para saber se o treino intelectual deve ser mais enfatizado do que é agora ou se a educação moral deve ser mais enfatizada. Se conseguirmos pelo menos isso, será mais fácil estabelecer metas; e uma vez estabelecidas, as maneiras de atingi-las surgirão naturalmente.

Eu comecei essa discussão sugerindo que devemos lembrar que o treinamento intelectual envolve tanto a aquisição de conhecimento quanto o cultivo da força mental e, embora não se possa discutir essas coisas como se estivessem totalmente separadas, é verdade que pessoas com muito conhecimento não são necessariamente pessoas que têm grande poder de compreensão ou de julgamento. O cultivo desses poderes não acarreta necessariamente um acúmulo de conhecimento, portanto, na verdade, são coisas que podem ser vistas separadamente. Assim, na educação, a questão que poderá surgir é: deve-se colocar mais ênfase no cultivo do poder mental ou na aquisição de conhecimento?

Por conseguinte, se o objetivo não está claro, o método não pode ser determinado. Quando o objetivo estiver claramente estabelecido, será possível estudar qual a melhor maneira de utilizar a energia para atingi-lo – seiryoku zenyo. Os métodos de treinamento intelectual que têm sido utilizados apresentam várias deficiências, e o que leva muitos educadores a propor idéias apenas com a intenção de conquistar a maioria das pessoas é o fato de não terem estabelecido metas claras de treinamento intelectual.

Assim, eu concluo que os educadores devem primeiramente definir suas metas de treinamento intelectual e então ensinar os princípios de seiryoku zenyo como método para se atingir essas metas. Vou passar agora à questão da educação moral.

O JUDÔ E A EDUCAÇÃO MORAL

Num certo sentido, a educação moral deve ser implementada com base no aspecto do conhecimento. Isso quer dizer que é necessário conhecer intelectualmente o que é bom e o que é ruim. Também é necessário desenvolver a inteligência para distinguir o certo do errado em várias situações complexas. Assim, é necessário ensinar a pessoa a distinguir o bom do ruim, diferenciar o que é certo e o que é errado.

Num outro sentido, a educação moral deve ser implementada com base no aspecto das emoções. Mesmo que, intelectualmente, você saiba distinguir o certo do errado, se não for treinado emocionalmente para gostar do que é bom e evitar o que é ruim, sua capacidade de fazer o bem e de rejeitar o ruim será deficiente. Se a moral não for cultivada intelectual e emocionalmente, não se chegará a bons resultados.

Além disso, mesmo que você tente fazer o bem e rejeitar o mal, se sua força de vontade for fraca, ocorrerá muitas vezes o resultado oposto. Assim, o treinamento da força de vontade deve fazer parte da educação moral – uma força de vontade fraca pode resultar na incapacidade de fazer o que você considera correto ou de evitar algo que você sabe que é errado.

Também é importante não esquecer o hábito. Mesmo que você tenha a intenção de fazer o bem, se não desenvolveu esse hábito, suas melhores intenções podem facilmente se desvirtuar. E mesmo as melhores intenções de rejeitar o mal podem falhar se você não desenvolveu o hábito de fazer isso. Por essa razão, você deve procurar cultivar bons hábitos, amar o que é bom e rejeitar o mal diariamente.

Quando considerada dessa maneira, a educação moral torna-se uma questão de juntar todos esses elementos de maneira que os resultados possam ser atingidos. Mesmo assim, ainda é preciso definir quanta ênfase devemos colocar no cultivo de cada um desses quatro elementos. O treinamento intelectual, apenas, não é suficiente para determinar esse equilíbrio. Tudo o que podemos fazer é sugerir que uma coisa seja considerada mais importante que outra. Mas, de qualquer maneira, devemos determinar o quanto vale cada elemento e esclarecer ao máximo qual o objetivo que estamos tentando atingir. Isso é essencial para determinarmos o método pelo qual é possível atingir esse objetivo.

Assim, na educação moral, como no caso do treinamento intelectual, para usar o seiryoku zenyo, é necessário que deixemos claros os objetivos que desejamos atingir.

A Vida em Grupo e o Judô

Seiryoku zenyo, o princípio do judô, pode ser aplicado a todos os aspectos da vida social. Mas, neste ponto, surge um outro problema: como se pode aplicar o seiryoku zenyo num grupo de duas ou mais pessoas?

Quando uma pessoa está sozinha, o princípio do seiryoku zenyo pode ser aplicado sem nenhum problema, mas, quando há um grupo de duas ou mais pessoas, basta que uma delas aja de maneira egoísta para que surja um conflito. Mas, se todas as pessoas do grupo evitarem atitudes egoístas e agirem de acordo com as necessidades e as circunstâncias dos outros membros, o conflito poderá ser facilmente evitado e reinará a harmonia. O conflito gera perdas para todos, assim como a harmonia gera ganho para todos.

Assim, se um grupo de pessoas vive junto, elas não apenas podem evitar ofenderem umas às outras, como também podem se ajudar mutuamente. Existem coisas que não podem ser feitas por uma só pessoa, mas que necessitam da ajuda de outras. Além disso, as virtudes e os pontos fortes de cada uma delas complementam e acentuam os das demais. Dessa maneira, a situação traz, para todos, vantagens que não teriam sozinhos. Isso é chamado de *sojo sojou jita kyoei*, que significa prosperidade mútua por meio da assistência e da concessão mútua. Essa expressão pode ser abreviada para *jita kyoei*.

Dessa maneira, se cada membro do grupo ajudar os demais e agir de maneira altruísta, o grupo poderá ser harmonioso e agir como uma só pessoa. Ou seja, ele pode usar melhor sua energia, assim como um indivíduo. Esse princípio vale até no caso de uma sociedade mais complexa, com uma população de milhões de pessoas. Se seiryoku zenyo e jita kyoei forem implementados, a vida social continuará a progredir e a se desenvolver naturalmente e, como membros da sociedade, cada um poderá atingir os resultados que deseja para si.

O JUDÔ COMO ARTE MARCIAL

Mesmo quando o judô – um dos elementos da cultura japonesa – era visto apenas como algo praticado no dojo, ainda assim ele era cultura, embora seu significado fosse um tanto limitado. Se o que eu descrevi nestas páginas é judô, ele é de fato um aspecto único da cultura japonesa. Hoje em dia, a arte, a dança e outros aspectos da cultura japonesa estão aos poucos sendo apresentados ao exterior, e um número cada vez maior de pessoas pode apreciá-los, admirá-los e estudá-los. Entretanto, eu acredito que nada tem mais popularidade no mundo ou está deixando uma impressão tão forte no mundo quanto o judô. Nem todas as pessoas podem compreender o completo significado do judô, mas algumas conseguem.

Eu recebo muitas cartas e algumas delas são de pessoas que perguntam sobre esse significado ou sobre quais livros deveriam ler. Outras querem vir ao Japão e conversar e estudar comigo. Quando a sra. Parkhurst*, dirigente do Plano Dalton, veio ao Japão, fomos à mesma reunião e passamos a conversar sobre o judô. Quando eu lhe enviei, posteriormente, minhas anotações sobre as palestras que tinha feito na Europa e nos Estados Unidos, recebi uma longa resposta em que ela expressava

---

* Helen Parkhurst (1887-1973), educadora americana, autora e palestrante que delineou o Plano Dalton e fundou a Escola Dalton.

sua concordância com muitas das minhas idéias. Ela escreveu que gostaria de conversar comigo da próxima vez que viesse ao Japão. E, quando veio me visitar, ela me contou que um amigo dela concordava com minhas idéias e acreditava que a vida das pessoas deveria ser pautada e aprimorada com base nos princípios do judô que eu tinha delineado. Ela disse que seu amigo gostaria de me encontrar e discutir essas idéias. Muitas pessoas assim nunca vieram ao Japão. Isso demonstra claramente que enquanto as técnicas do judô estão se espalhando pelo mundo, o espírito e o significado dessa arte também estão sendo aos poucos conhecidos.

Eu vi sinais disso ao ir à Europa e aos Estados Unidos para tentar trazer os Jogos Olímpicos para o Japão. Eu consegui cumprir meu objetivo e, enquanto estava em Nova York, pediram-me que preparasse uma mensagem para ser divulgada nos Estados Unidos, no Canadá e no México (eu pronunciei a mesma mensagem também em Los Angeles). Durante minha conversa com o diretor da estação de rádio, falamos sobre o judô. Eu mostrei a ele minhas anotações sobre as palestras na Europa e nos Estados Unidos, e ele as levou para casa e as leu. No dia seguinte, ele disse que, antes, sua intenção era que eu falasse sobre os Jogos Olímpicos, mas decidiu que no lugar disso preferia que eu usasse o material da palestra.

Como a minha intenção era falar sobre as Olimpíadas, eu não pretendia usar o material das palestras. No entanto, como ele insistiu, eu falei sobre os dois assuntos; primeiro sobre o judô e depois sobre as Olimpíadas. Isso mostrou que minha interpretação sobre os aspectos mentais do judô era apreciada pelos americanos. Naturalmente, não teriam pedido que eu discutisse sobre isso na entrevista se o assunto não tivesse sido bem recebido pelos ouvintes. Ocorreram circunstâncias parecidas quando estive na Europa, e acredito que no futuro o espírito do judô será profundamente estudado e seus princípios serão implementados.

No passado, as técnicas do judô estavam voltadas para as artes marciais. O judô Kodokan de hoje incorpora tanto as artes marciais como a educação física. Naturalmente, o seu papel complementar no avanço da educação física pode levar algumas pessoas a pensar que o judô, como arte marcial, é menos eficiente agora do que foi que no passado, quando era praticado exclusivamente como arte marcial, mas esse não é o caso. Justamente *porque* é praticado tanto como arte marcial quanto como educação física, ele pode exercer seu verdadeiro poder como arte marcial. No antigo ju-jutsu, que era apenas uma arte marcial, se um praticante queria aprender a empurrar, a prática em si seria suficiente. Mas, sem um treinamento de muitos anos, mesmo os atemis dos especialistas não seriam completamente eficientes. Entretanto, se a educação física é incorporada, ou seja, se o judô é também praticado como uma forma de educação física nacional, é possível atingir um desempenho de alto nível.

Digamos, por exemplo, que alguém aponte uma espada para você. Qualquer hesitação de sua parte fará com que seja ferido ou morto. Você precisa reagir de maneira automática, instintiva, exatamente como piscaria instintivamente se uma mosca se aproximasse de seus olhos. Você deve evitar o ataque no mesmo instante. Para tanto, precisa praticar isso como uma educação física e treinar regularmente para preparar seu corpo, ao mesmo tempo que treina artes marciais. Os companheiros do comandante Hirose* sempre diziam que, quando desembarcavam, se houvesse tempo suficiente para ir a um restaurante e tomar uma bebida, Hirose ia a um dojo para praticar judô. Com o tempo, isso influenciou a todos. Eu acredito que esse tipo de forma benéfica de recreação é a razão pela qual Hirose se tornou uma lenda. É quase impossível estudar tudo sobre os seres humanos em geral em um curto período. Então, assim como é necessário estudar vários assuntos durante a vida, também é necessário que nos tornemos uma pessoa que pode, aperfeiçoando-se, fazer uma análise de qualquer assunto, mesmo não sabendo nada a respeito. Isso é judô.

Em 1882, quando comecei a usar o termo "judô", ele não significava "Ceder primeiro para vencer depois". Na verdade, ele queria dizer que, independentemente do objetivo, para conseguir o que queremos, precisamos investir nossa energia mental e física para trabalhar da maneira mais eficiente. Ou seja, isso representava seiryoku zenyo. Quando esse princípio é aplicado às artes marciais, ele se manifesta por meio dos vários kata e do randori do judô, tanto quanto do gekiken ou do kendo, em que se pratica o ataque com espadas de bambu. Em resumo, todo o treinamento das artes marciais envolve a aplicação desse princípio para a defesa contra ataques.

O judô teve início com o estudo de artes marciais e aos poucos foi se tornando claro que ele podia ser aplicado à educação física, ao treinamento intelectual, à educação moral, à interação social, à administração e à vida diária. No entanto,

---

* Takeo Hirose (1868-1904), herói naval da guerra russo-japonesa.

algumas pessoas acreditam que o judô signifique apenas praticar no dojo, ou seja, uma arte marcial cujos princípios podem ser usados na defesa contra ataques. Mesmo que esse seja, de fato, um aspecto do judô, é apenas uma pequena parte dele. No judô, seja qual for a situação, você deve imaginar a melhor meta e usar sua energia mental e física da maneira mais eficiente para atingir essa meta – em resumo, o judô hoje em dia é seiryoku zenyo.

Por essa razão, o judô não é apenas uma arte marcial, mas sim um princípio básico do comportamento humano. A aplicação desse princípio na defesa contra ataques ou como educação física em randori no dojo é apenas um aspecto do judô – é errado acreditar que o judô termine no dojo.

Até agora, eu expliquei como o judô surgiu e o que ele é. Comentei também sobre o fato de o judô não ser o que muitas pessoas imaginam que ele seja, isto é, o judô é mais do que uma luta praticada no dojo. O significado básico do judô é muito diferente; é universal e profundo.

A seguir, quero dar dois ou três exemplos de como o judô poderá ser útil no trabalho e na vida diária no futuro.

UM PRINCÍPIO BÁSICO PARA TODOS:

O JUDÔ E SUA APLICAÇÃO NA VIDA DIÁRIA

SEIRYOKU ZENYO NA VIDA DIÁRIA

Certos ensinamentos têm uma longa tradição, portanto, a maioria das pessoas os aceita. Mas, quando as pessoas não compreendem a razão de serem ensinadas de determinada maneira, podem surgir conflitos. Vamos dar um exemplo simples: ninguém duvida de que ser dedicado é bom. Mas, por outro lado, se olharmos com atenção, veremos que o significado desse termo é um tanto ambíguo. Isso acontece porque, se ser dedicado é sempre bom, isso significa que não existem situações em que a dedicação seja ruim. Entretanto, há situações em que as coisas são diferentes. Quando você está mental ou fisicamente cansado, por exemplo, a dedicação excessiva pode agravar esse estado ou levá-lo a se machucar.

As pessoas praticam uma grande variedade de atividades. Você deve escolher apenas algumas e dedicar-se a elas. No entanto, se você é irresponsável, desperdiçará sua energia em alguma coisa pouco útil, em vez de usá-la para fazer algo de bom. Você deve escolher muito bem a que se dedicará.

Mesmo quando fazemos o que achamos melhor, convém não nos excedermos, porque isso pode ser perigoso. Quando os alunos ficam estudando até tarde, porque um professor manda ler um livro, os pais e a sociedade acham que isso é bom para o aluno. Mas a dedicação do aluno, nesse caso, fará mal à saúde dele. Dedicação é bom, mas é melhor fazer as coisas com moderação, até o limite do aceitável.

Portanto, não se pode dizer que a dedicação seja sempre benéfica. Por trás dessa idéia, deve haver um princípio maior, ou seja, seiryoku zenyo. Isso significa que você não deve passar a se dedicar demais a algo quando está exausto. Em contrapartida, também não deve fazer as coisas de maneira desatenta ou a esmo. Você não deve se exaurir a ponto de não poder fazer nenhuma outra coisa. Primeiro você precisa criar a idéia de seiryoku zenyo em sua mente, para depois escolher as coisas às quais se dedicar. Mesmo quando se trate de algo considerado incondicionalmente benéfico, como poupar dinheiro, seiryoku zenyo é necessário para um sucesso integral.

Vamos tratar agora de um hábito desagradável, mas muito comum: reclamar. Por que se reclama? Certamente não é para divertir as pessoas que ouvem as reclamações. A energia despendida para fazer reclamações desagradáveis certamente não pode ser considerada seiryoku zenyo. Na verdade, toda energia que usamos para reclamar ou resmungar poderia ser usada de maneira mais útil. Isso significa que você deve se livrar de sentimentos desagradáveis e evitar guardar rancor. No final, isso fará com que você use melhor sua energia, não só para si, mas pelo bem da sociedade. Esse princípio deveria ser aplicado todos os dias.

A devoção ao seiryoku zenyo também implica atos altruístas para o bem da sociedade. Quando está cumprindo um dever perante a sociedade, a pessoa pode deixar de fazer uma refeição. No entanto, não convém se alimentar de maneira irregular quando isso não é necessário. Do ponto de vista do seiryoku zenyo, você deve se alimentar bem sempre que possível. Como o trabalho pode tomar muito do seu tempo, pelo seu bem, pelo bem dos outros e pelo bem da sociedade, você deve estar pronto para deixar de fazer uma refeição ocasionalmente, mas não com freqüência.

No trabalho diário, decisões acerca de como trabalhar, em que ordem fazer as coisas ou que método usar, devem ser tomadas com base em seiryoku zenyo. Em resumo, se as pessoas estiverem sempre conscientes de sua situação no momento, forem capazes de criar um padrão para o futuro com base nos benefícios que ele trará para elas e para a sociedade e ajustarem seu comportamento continuamente, podem ter uma vida gratificante. Se tentar fazer isso, você verá que seu futuro sempre vai parecer brilhante, pois você estará fazendo o que é melhor e não há por que pensar que não conseguirá atingir tudo o que deseja. Você não pode criar algo a partir do nada. Deve fazer o que pode e, quando for bem-sucedido, isso será suficiente e você sempre conseguirá encontrar uma solução para qualquer obstáculo que venha a encontrar.

Se você realmente compreender seiryoku zenyo e o colocar em prática, estará no mesmo lugar daqueles que passaram anos a fio estudando as doutrinas zen para chegar à iluminação. Você conseguirá nada mais nada menos que isso por meio de suas próprias experiências e treinamento. Não será necessário nenhum outro estudo além disso – você pode se disciplinar apenas com a aplicação dessa teoria simples.

Além do judô, não há praticamente mais nada que possa mostrar os princípios que norteiam a vida diária de uma pessoa. O budismo, o confucionismo e o cristianismo têm cada qual seus princípios, que podem ser aprendidos por meio do estudo, mas isso é muito difícil. Eu tenho, com freqüência, oportunidade de travar debates com autoridades do budismo, do confucionismo e do cristianismo. As pessoas que fazem esse tipo de estudo profundo e que cultivam a mente dizem a mesma coisa que eu: o caminho pode ser diferente, mas, no final, as metas da religião e do aprendizado são as mesmas, e eu considero essas autoridades como meus colegas. Mas isso se limita àqueles que fizeram estudos profundos. É difícil encontrar pontos em comum com uma pessoa que tenha feito apenas estudos superficiais. Eu não posso fazer essa associação com pessoas que apenas repetem o que lhes foi ensinado. Mesmo entre cidadãos japoneses, pessoas assim podem não compreender o espírito nacional firme e verdadeiro. Então, por meio do judô, ensinamos um princípio que pode ser trabalhado junto com os princípios mais elevados do budismo ou do cristianismo ou dos estudos exaustivos dos filósofos; um princípio que, como as outras filosofias e religiões, pode ser colocado em prática.

O princípio do judô oferece uma base que pode prover uma resposta firme para qualquer situação e qualquer questão. A maneira mais fácil de dominar esse princípio é praticar o waza do judô e embarcar no *do*. Isso acontece porque, com a prática, que incorpora tanto a arte marcial quanto a educação física, pode-se aprender um método para fazer o uso mais eficiente da energia mental e física. Depois a pessoa aprende naturalmente como aplicar esse método a todos os aspectos da vida. Eu acredito que esse princípio básico seja o método mais apropriado para a solução de várias questões morais.

No passado, eu passei três anos viajando pelos Estados Unidos e pela Europa, dando palestras. A administração científica e a promoção da eficiência são muito defendidas em outros continentes, mas elas não parecem ter progredido muito. Também descobri que as pessoas demonstram grande interesse pelas idéias que eu apresento. Quando fui a uma reunião na União Inter-Parlamentar, realizada em Madri há dois anos, no fim de minha palestra eu disse: "O espírito da prosperidade mútua precisa ser respeitado entre as nações. Assim como ocorre com as federações internacionais, se os países apenas considerarem seu próprio bem-estar, deixando de lado os outros países, eles não poderão chegar aos seus verdadeiros objetivos. Cada país deve adotar esse princípio, o de promover a prosperidade mútua, e manter o objetivo de fazer o melhor pelo bem mundial. Assim, este encontro não deve ser apenas um fórum para que os políticos troquem opiniões e debatam vários assuntos, mas sim uma base para que busquemos um mundo repleto do espírito da prosperidade mútua". Eu acredito que a paz mundial e o bem-estar da humanidade devam ser criados pelo espírito que o judô traz.

O Judô e o Estudo de Suas Aplicações

O estudo das aplicações do judô leva, por fim, ao aprendizado do seiryoku zenyo, que é o princípio por trás da competição sincera. Eu demonstrei nestas páginas que esse princípio pode ser aplicado na vida diária. Em nossas atividades diárias e nos contatos com outras pessoas, o ensinamento de seiryoku zenyo significa conseguir o melhor resultado por meio do uso de todos os tipos de energia. Por isso, deficiências humanas, como a ira, por exemplo, vão contra esse princípio.

A ira consome energia mental. Como ela pode beneficiar alguém? A ira invariavelmente diminui a energia mental e faz com que a pessoa se torne mal vista ou seja considerada inconveniente. Se seguir o princípio do seiryoku zenyo, a pessoa não conseguirá se enraivecer. Desapontar-se, incomodar-se com falhas e problemas ou guardar rancor são também coisas que consomem energia mental. Discussões, brigas – essas coisas vão contra o seiryoku zenyo. Aqueles que praticam o judô devem seguir esse ensinamento cuidadosamente. Não importa qual seja a situação, só existe um caminho a seguir – para todos os casos, o único curso a ser considerado é o da coisa certa a ser feita, é esse caminho que deve ser trilhado.

Eu criei uma frase que costumo dizer para as pessoas: *jinsei no koro wa tada itsu aru nomi* (só existe um caminho na vida). Viver de acordo com esse princípio no dia-a-dia é de importância vital.

Embora os seres humanos possam ser capazes de chegar ao auge do sucesso, só existe um caminho para baixo. Isso quer dizer que, pelo fato de a complacência consigo mesmo criar causas para o fracasso, você deve sempre observar as coisas cuidadosamente para descobrir o melhor curso de ação. Mesmo que você falhe e se sinta desanimado, se recobrar a coragem e encontrar sua trilha pelo caminho superior, as circunstâncias irão aos poucos melhorar. Como encontraram os seus próprios caminhos, aqueles que praticam o judô e que seguem o princípio do seiryoku zenyo sempre têm um espírito calmo, sabem aproveitar a vida e são empreendedores. A vida mental humana mais avançada só pode ser atingida quando as pessoas realmente compreendem esse princípio.

Capítulo 3

O TREINAMENTO DO JUDÔ

O PROPÓSITO DO JUDÔ

Os Três Aspectos do Judô

Quando o judô que conhecemos hoje ainda não estava desenvolvido e as pessoas se referiam a ele como ju-jutsu, o propósito principal do treinamento era aprender um método para reagir a um ataque. Mesmo que houvesse um propósito para o treinamento, ele era algo muito direto, e a maioria dos alunos, em vez de procurar descobrir maneiras de colocar em prática as habilidades que tinham aprendido, só se interessavam em desenvolver a força física. Desde o estabelecimento do judô Kodokan, o judô se tornou algo que pode ser estudado não apenas como um método de autodefesa, mas também como uma forma de treinar o corpo e aprimorar a mente. Naturalmente, o treinamento físico e o aprimoramento da mente devem ter um propósito próprio, e desde o início eu enfatizei que o corpo bem treinado e a mente aprimorada devem ser bem utilizados. Entretanto, no passado enfatizava-se demais o treinamento físico e o cultivo da mente, enquanto o uso da energia adquirida por esse treinamento era um tanto negligenciado. No futuro, defenderei igualmente esses três aspectos.

É difícil calcular a importância desses três elementos, mas pode-se dizer que o estudo aprofundado da defesa contra ataques é o alicerce, e a capacidade de treinar o corpo e aprimorar a mente decorre desse estudo. Com um corpo bem treinado e uma mente aprimorada, você pode aplicar seu treinamento para o bem da sociedade. Assim, se considerarmos esses processos numa ordem lógica, o uso da energia para o bem da sociedade será o último fator a ser analisado. Entretanto, se observarmos isso de outro ponto de vista, o bom uso da energia é o propósito primordial do estudo da atividade humana. O treino e o aprimoramento da mente e do corpo são dois modos de se atingir esse propósito. E como esse treino e aprimoramento evoluem naturalmente a partir do treinamento da defesa contra ataques, entendemos que esse treinamento é o meio pelo qual podemos atingir um fim.

O valor real de uma pessoa é determinado com base no quanto ela contribui para a sociedade durante a vida. E como essa mesma contribuição ajuda os que buscam se aprimorar e atingir a sua meta, o propósito do judô é ajudar a pessoa a se aperfeiçoar para que possa contribuir para a sociedade. Embora isso também se aplique às pessoas comuns, principalmente aquelas que praticam judô devem agir de uma maneira adequada aos propósitos do judô. Ao praticar o judô, você deve tentar se aperfeiçoar e contribuir para a sociedade por meio dessa prática e deve enfatizar a importância disso quando for ensinar outras pessoas.

Ao mesmo tempo, você deve escolher um método que o ajude a atingir as metas do judô em sua vida diária. Por exemplo, consideremos as necessidades básicas da vida, como alimento, roupa, abrigo e também a interação social. Você deve analisar com cuidado se está conduzindo sua vida de modo a encontrar a melhor maneira de contribuir para a sociedade. Algo que parece bom porque é fácil pode ser inútil no futuro, e um pouco de paciência pode ser muito eficaz para melhorar sua vida no futuro. Todos esses aspectos devem ser considerados e um planejamento cuidadoso é necessário para obter um bom resultado geral.

Isso não é mesmo uma tarefa fácil, mas o sucesso ou o fracasso dependem principalmente do planejamento (ou da falta dele), portanto ele merece muita atenção. A base da felicidade na vida não é a busca de ganho material ou de prazeres efêmeros, e a verdadeira amizade significa dar conselhos sérios a seus amigos quando eles necessitam, com generosidade e sem medo de ofendê-los.

Até aqui sublinhei nestas páginas que o propósito do judô é o aperfeiçoamento do ser humano, que deve contribuir para a sociedade e se adaptar ao seu tempo. As pessoas podem se perguntar, com razão, até que ponto o propósito do judô é diferente do propósito das pessoas comuns e questionar a necessidade da prática do judô. O propósito do judô é, certamente, igual ao das pessoas comuns – e aí está o valor do judô.

Pelo fato de o propósito do judô ser o mesmo do das pessoas comuns, não há por que hesitar na busca da realização desse propósito. O judô só é necessário na realização do propósito humano porque a sua prática nos *capacita* a encontrar os meios mais apropriados para realizá-lo e a desenvolver a habilidade para tal. Ninguém duvida que o sucesso dependa do meio. Além de ser o melhor caminho para aprender a fazer o uso mais eficiente do poder mental e físico, pode-se dizer que o judô é o "estudo do meio" e sua prática é o estudo do melhor meio para obter todo tipo de sucesso.

Por essa razão, as pessoas que praticam o judô podem se aperfeiçoar e contribuir para a sociedade, que é a meta tanto do judô quanto das pessoas comuns. Mas mesmo que o judô não seja praticado na forma do kata e do randori, desde que seu significado seja compreendido, qualquer pessoa pode viver uma vida que preencha as metas do judô. Da mesma maneira, acredito que essa é a atitude mais apropriada para realizar o propósito da vida.

OS TRÊS NÍVEIS DO JUDÔ

Agora estabelecemos os três aspectos do judô – treinamento de defesa contra ataques, aprimoramento da mente e do corpo e uso da energia do ser humano – e também apresentamos a meta mais elevada do judô: o aprimoramento próprio pelo bem da sociedade. Para tornar a idéia mais clara, digamos que o alicerce – o treinamento de defesa contra ataques – esteja embaixo, e vamos chamar isso de judô de nível básico. Chamaremos o treinamento e o aprimoramento, que são conseqüências do treinamento da defesa contra ataques, de judô de nível intermediário. E o estudo de como usar a energia do ser humano para o bem da sociedade, que vem por último, chamaremos de judô de nível superior.

Ao dividirmos o judô em três níveis, podemos ver que ele não deve se limitar ao treinamento para a luta no dojo, nem mesmo ao treinamento do corpo e o aprimoramento da mente. Se você não buscar o nível mais alto, não poderá realmente beneficiar a sociedade. Não importa que você seja uma pessoa maravilhosa, que tenha uma inteligência brilhante ou um corpo forte; se morrer sem atingir a meta, isso de nada adiantará. Como diz o provérbio, "Um tesouro não utilizado é um tesouro desperdiçado". Você pode dizer que se aperfeiçoou, mas não que tenha contribuído para a sociedade. Eu insisto em dizer que os praticantes de judô precisam reconhecer que ele tem três níveis e que é necessário treinar igualmente todos os três.

O Judô de Nível Básico

No judô de nível básico o propósito do treinamento é aprender a defesa contra ataques. Nesse nível, a maior parte do treinamento é feita apenas com as mãos livres, mas armas são usadas algumas vezes para o treinamento do kata. Entretanto, eu descobri que, no treinamento de judô para crianças pequenas, o uso de espadas de borracha ou tecido no lugar das espadas de bambu é necessário desde o início para ensinar o kata, para que elas aprendam a golpear ou empurrar umas às outras e a se defender desses golpes. Isso quer dizer que eu gostaria de incorporar, no treinamento do judô, alguns dos kata que eram ensinados antigamente no kendo.

Portanto, convém incluir no judô lanças, naginata e outras armas usadas na defesa contra ataques. Espadas e bastões, entretanto, são na maioria das vezes armas muito boas e úteis, e o kendo, por ser um dos elementos essenciais do judô, deve ser incluído de alguma maneira. É necessário não apenas como kata, mas também para competições.

No futuro, acredito que o judô incorporará algo do kendo atual no treinamento normal, mas, como se encontra agora, a meu ver ele é muito pouco satisfatório. As espadas já não são consideradas tão úteis como eram no passado. Em comparação com o que se aprende no judô, não existe uma situação em que a espada traga uma vantagem, exceto quando o praticante desembainha a espada e fica em postura defensiva. Sem o conhecimento do judô, mesmo as pessoas que fazem uso de espadas serão incapazes de utilizá-las com grande habilidade ou confiança. Ao contrário, os praticantes de kendo por fim reconhecem a necessidade de aprender também o judô. Portanto, acho que o kendo atual e o judô devem ser integrados.

É claro que existe uma grande oposição a essa idéia, e por isso é difícil colocá-la em prática imediatamente. Entretanto, tudo leva nessa direção e, com o passar do tempo, inevitavelmente haverá uma distinção entre os que consideram as espadas importantes e os que não lhes dão importância nenhuma.

No futuro, os que praticam artes de luta, como o boxe, se esforçarão tanto quanto os praticantes de judô. Acho que também será útil ao sumô e ao savate que façam algum estudo sobre o judô. Mas o método, naturalmente, é diferente, pois alguns praticam apenas com o propósito de luta ou para a educação física. Quando a prática tem o objetivo da educação física, ela já se encontra em um nível intermediário.

O Judô de Nível Intermediário

O que pode ser feito no nível intermediário, além da educação física, é buscar oportunidades para vários tipos de treinamento e para o aprimoramento da mente. Isso inclui observar outras pessoas treinando e, observando vários waza e imaginando maneiras para colocá-los em prática, treinar a mente e o corpo, controlar as emoções e desenvolver a coragem. Em resumo, isso significa tornar-se capaz de controlar o corpo e a mente.

Para realizar esse treinamento do corpo e aprimoramento da mente, podem-se levar em conta outras coisas consideradas conseqüências da prática. Isso inclui o sentimento de satisfação que é adquirido com a prática e com a luta da competição e o prazer de se dominar uma habilidade. Se você continuar progredindo, terá a oportunidade de observar kata feito com muita habilidade e obterá uma compreensão estética. Acredito que tudo isso faça parte do judô de nível intermediário.

O Judô de Nível Superior

Praticar um judô de nível superior significa fazer o melhor uso da energia física e mental adquirida nos níveis básico e intermediário e então contribuir para a sociedade. O judô de nível superior tem, portanto, uma aplicação mais abrangente e requer mais criatividade. Também nas atividades diárias é fácil determinar, a cada situação, se algo se enquadra ou não na perspectiva do judô. Basta considerar se você fez ou não o melhor uso de sua energia mental e física. Tudo o que é feito pelo ser humano pode ser avaliado com base nessas regras.

Ter um corpo fraco não é necessariamente uma condição congênita. Em muitos casos, isso é o resultado de não se agir em concordância com essas regras em certo momento. Você deve se lembrar de que a falta de senso de oportunidade e a incapacidade de aceitar as pessoas são resultado da negligência, no passado, ao treinamento mental correto no momento certo. Em muitos casos tanto os sucessos quanto os fracassos das pessoas são resultado da decisão que tomaram de fazer ou não o esforço necessário no momento certo.

Os seres humanos nunca perderão a esperança nem sentirão uma ansiedade desnecessária se acreditarem que estão usando suas energias mentais e físicas da maneira mais eficiente. Isso acontece porque, usando essas energias de maneira mais eficiente, eles não terão como desperdiçá-las de outra maneira. Sentimentos de frustração e preocupação ocorrem quando você deixa de fazer o que deveria ter feito ou não consegue se decidir sobre o que fazer. No futuro, eu gostaria de aplicar os princípios do judô em todas as áreas do comportamento humano e pesquisar esse assunto. Eu também aconselho as pessoas a praticarem o judô para superar a fatiga mental que resulta da frustração e da preocupação.

A Força Como Base

Como eu repetidamente enfatizei, o propósito do estudo do judô é aperfeiçoar a si mesmo e contribuir para a sociedade. Em comparação com o esforço que eles faziam para ganhar força física, os praticantes de ju-jutsu do passado se preocupavam muito pouco com o que fariam com a força adquirida. Da mesma maneira, os praticantes de judô de hoje em dia não fazem um esforço suficiente para atingir as metas do judô e se preocupam demais em se tornarem fortes ou vencer competições, que são apenas meios para se atingir um fim. Não quero dizer que não é bom ficar forte, mas isso é necessário inicialmente apenas como meio de se atingir uma meta superior.

Muitos jovens buscam diferentes formas de exercício, não apenas o judô, e conseguem desenvolver um corpo forte, mas que também sofre vários tipos de problema. Por outro lado, costumo ver muitos jovens que não fazem exercícios regularmente e passam o tempo todo lendo ou realizando outras atividades passivas e mesmo assim são muito saudáveis. A saúde não é necessariamente o resultado da constituição física, pois aqueles que se exercitam apenas pelo exercício em si não estão realmente preocupados com a saúde. A força física, conquistada por meio do judô ou de outra modalidade de exercício, só tem valor quando a pessoa usa a força pelo bem da sociedade. Se você não compreender isso, encontrará obstáculos e será incapaz de atingir suas metas, não importando o quanto seja forte. Assim, você deve se lembrar de que o propósito do desenvolvimento da força física é capacitá-lo a assumir tarefas que, de outra maneira, não conseguiria realizar.

Os que aspiram atingir naturalmente os níveis básico e intermediário do judô treinam o corpo e a mente e acabam por atingir os propósitos do judô de nível superior. Não há nada melhor que buscar desde o início o judô de nível superior. Assim, mesmo que pratique o judô apenas para o autodesenvolvimento e não com o propósito de se tornar um profissional, você sempre deve observar com muito cuidado o modo como seu comportamento afeta a sociedade. "Conquistas" sociais, como a fama e a riqueza, não são indicadores de contribuições valiosas para a sociedade e devem ser vistos com cautela. Existem pessoas que contribuem pouco para a sociedade apesar de terem conquistado fama e uma posição social elevada, e outras que acumulam grande riqueza, mas que não sabem usar a riqueza em benefício da sociedade. A fama e o sucesso não são necessariamente úteis, nem se deve confiar na riqueza. O que deve ser realmente valorizado é o quanto a pessoa contribui para a sociedade.

A PRÁTICA DO JUDÔ

Antigamente, quando o judô era ensinado simplesmente como ju-jutsu ou taijutsu, os praticantes visavam principalmente ao treino da defesa contra ataques, mas quando ele passou a ser ensinado como judô Kodokan, seu propósito foi ampliado para incluir o treinamento intelectual e moral. É claro que é bom aprender métodos de defesa contra ataques, mas atualmente é bem menos necessário; em termos práticos, passar anos praticando para se tornar um mestre de judô apenas para repelir um ataque seria uma tolice. Entretanto, a razão pela qual eu recomendo a todos, tanto os especialistas quanto as pessoas comuns, que pratiquem o judô por toda a vida é que a prática dessa arte traz vários benefícios que vão muito além da simples defesa contra ataques.

Melhorando o Corpo por meio do Judô

Inicialmente, você nunca deve se esquecer de que o judô é benéfico para o corpo. Isso é óbvio e amplamente reconhecido, entretanto, na realidade, a maioria das pessoas que pratica judô não o vê necessariamente como uma forma de educação física. Quando praticado de modo regular e contínuo, o judô traz grandes benefícios, mas a maioria das pessoas não segue essa regra.

As pessoas que acham que ir simplesmente ao dojo é praticar judô podem também achar que, caso as circunstâncias da vida tornem difíceis a ida regular ao dojo, devem parar de treinar. Mas o judô não se resume a treinar no dojo; o judô pode ser praticado sem um parceiro e existem vários métodos de treinamento, que incluem chutes, socos, esquiva e movimentos para a frente e para trás. Se você não abandonar esses treinos, pode praticar mesmo sem ir ao dojo. E nas ocasiões em que não puder ir ao dojo, você poderá complementar o treinamento em casa, praticando vários tipos de tarefa. O benefício de ir ao dojo e praticar randori diariamente depende muito da atitude do praticante.

Se pratica o judô como uma forma de educação física, é preciso que você selecione os waza que lhe permitam exercitar de maneira uniforme cada parte do corpo. Você também deve ter muito cuidado para não forçar demais uma região do corpo. Você deve praticar regularmente os kata que aprendeu para compensar as áreas em que só o treino de randori não é suficiente. O judô como educação física traz muito mais benefícios para aqueles que treinam com isso em mente do que para aqueles que treinam sem se preocupar com essa questão.

Também é imprescindível tomar muito cuidado com a saúde ao praticar o judô como educação física. Algumas pessoas que praticam judô acham que por isso terão uma excelente saúde e param de se cuidar de maneira apropriada. Não devemos nos descuidar do ambiente em que vivemos, das nossas roupas ou da nossa higiene. Devemos ter muito cuidado com o que comemos e bebemos. As pessoas, antigamente, não consideravam um problema beber ou comer em excesso; chegavam mesmo a se orgulhar disso. Essa maneira de pensar ainda persiste e é obviamente um risco para a saúde. Se você não cuida de sua saúde, não terá nenhum benefício com o treino do judô. As pessoas que praticam judô devem ter isso em mente e também considerar um dever alertar os outros a respeito.

O Cultivo do Intelecto e da Moral

A seguir, eu gostaria de discutir o cultivo do intelecto e da moral. Esse é um tópico muito discutido, mas não se pode dizer que as pessoas realmente se esforcem para aperfeiçoar a sua mente e moral. Costumo dizer que, como o judô deriva das artes marciais do passado, ele deve perpetuar o espírito das artes marciais. Lealdade, fé, honra e várias outras virtudes foram enfatizadas nas antigas artes marciais, mas eu sinto a importância delas hoje em dia. A deterioração moral da sociedade resulta principalmente da falta de ênfase nessas virtudes. Por isso eu acredito que as pessoas que praticam judô devem dar importância a esse assunto e restaurar a moral pública que hoje é negligenciada.

Entretanto, não acredito que as pessoas que praticam judô sejam diferentes das demais nesse sentido. De fato, apesar de preservarem as tradições de artes marciais, algumas pessoas criticam os praticantes de hoje em dia dizendo que eles não têm nada de diferente. Isso acontece porque os praticantes de judô não têm a força de vontade necessária para transmitir o espírito das artes marciais nem para exercer seu dever de manter a moral pública. Assim, espero ver maiores esforços nessa área.

Existem várias oportunidades de se aprimorar o intelecto e a moral na prática do kata e no treinamento de randori. As conversas instrutivas sobre a moral apresentadas nas aulas normalmente são muito abstratas ou envolvem histórias sobre pessoas de um passado distante, então não é provável que elas sejam inspiradoras para os ouvintes. Mas as lições de moral que podem ser aprendidas em um randori de judô são baseadas em fatos e provavelmente causarão uma impressão muito maior. Pode-se dizer também que o hábito da observação, a habilidade de tomar decisões rapidamente e a capacidade de se manter calmo e resoluto, que são cultivados com a luta, também são valores que se desenvolvem com a prática do judô. Essas habilidades, no entanto, não são desenvolvidas apenas com a prática do kata e do treino de randori, sem nenhuma análise. Elas se desenvolvem naturalmente com a atenção e a prática diária. Acontece o mesmo com outras habilidades, que podem ser desenvolvidas durante o treinamento. Assim, é justamente com o treino que você cultiva seu intelecto e sua moral. Pratique o judô e você começará a ver os resultados. Se não mantiver isso em mente, a prática do judô lhe será inútil.

Pode-se dizer o mesmo sobre ler um ensaio. Não importa que o ensaio seja excelente, se você se preocupar apenas com seu significado e não perceber o uso de palavras e frases e o estilo da escrita, não obterá muito com a sua leitura. Ao viajar, se apenas prestar atenção no cenário, não poderá aprender sobre a natureza do local ou sobre os costumes e hábitos do povo. Se você quer aprender o máximo possível com uma viagem ao exterior, deve prestar atenção a todos os aspectos do país que está visitando e tentar obter o máximo de conhecimento. Se você praticar o judô com essa mentalidade, naturalmente desenvolverá seu intelecto e sua moral.

O Uso Eficiente da Energia Mental e Física

O uso mais eficiente de sua energia mental e física (seiryoku zenyo), que faz parte do ensinamento do judô de competição, pode ser aplicado a vários aspectos da vida. Você precisa considerar a melhor maneira de aplicar esse princípio a tudo na sua vida e procurar fazer isso. Esse ensinamento e suas aplicações são bem conhecidos entre os que praticam o judô hoje. Eles podem ser aplicados a todas as situações, independentemente de idade, sexo, circunstâncias ou profissão do praticante. Não importa o quanto a pessoa seja virtuosa ou sábia, quando suas atitudes são avaliadas com base nesse princípio, algumas falhas de caráter invariavelmente são reveladas – e isso vale para todos.

Os praticantes de judô devem avaliar diariamente seu comportamento com base nesse princípio e fazer correções quando necessário. Se você realmente aplicar esse padrão a todos os aspectos da vida – desde a alimentação, roupas e moradia até o trabalho e os relacionamentos –, descobrirá que muitas vezes terá que corrigir seus próprios erros. Aqueles que fazem isso progridem dia após dia e avançam na vida, enquanto os que não fazem nunca progridem e, em alguns casos, até regridem. Não importa se você é um especialista em judô ou uma pessoa comum, as pessoas que progridem são aquelas que agem de acordo com esse ensinamento, e as pessoas que falham são as que agem em desacordo com ele.

Embora esse fato seja claro, eu me entristeço ao ver que, mesmo entre os praticantes de judô, há aqueles que não fazem muito esforço para realmente seguir esse ensinamento. No entanto, acredito que um dia os ensinamentos do judô terão uma grande influência nessa área.

O Aprimoramento do Senso Estético

Por fim, espero que os alunos do judô dominem seus waza e apreciem os waza praticados por outras pessoas. Espero que eles apreciem a beleza de seus movimentos e a graça e o dinamismo dos movimentos de outros praticantes. Essa é uma das maneiras pelas quais o praticante de judô desenvolve um gosto refinado e leva o judô a um nível além da prática. A vida das pessoas não pode ser vivida apenas em função da busca material, portanto não devemos deixar de lado a necessidade de desenvolver o judô nessa área. Em resumo, o verdadeiro valor do judô é revelado quando o estudamos em todos os aspectos, e peço a todos os alunos que se lembrem disso.

O JUDÔ E A EDUCAÇÃO

Eu gostaria de falar sobre três áreas com as quais trabalhei no passado no contexto do judô na educação. Elas são: o aprimoramento do caráter, o treinamento do intelecto e a aplicação da teoria da luta nos aspectos da vida, com a finalidade de dominar um método para lidar com as coisas à nossa maneira.

O Caráter

Primeiro, com relação ao aprimoramento do caráter, existem dois pontos a se considerar. Um é a capacidade do judô de desenvolver o caráter naturalmente por meio da sua prática, em resultado da sua essência única. O outro é fazer uso de todas as circunstâncias externas relacionadas ao judô, especialmente os ensinamentos de educação moral, para atingir essa meta. Esse segundo item será discutido posteriormente.

Do passado distante até os tempos modernos, artes marciais como o ju-jutsu, o kenjutsu (esgrima) e o sojutsu (luta com lanças) têm sido um elemento essencial na educação superior do Japão, e muitas pessoas aprimoraram a mente por meio delas. O patriotismo das pessoas depende muito de como elas se sentem com relação ao curso de ação do seu país e de quanto compartilham os sentimentos de seus antepassados. Se queremos que os futuros cidadãos valorizem seu país, se queremos reforçar o amor das pessoas pela pátria, temos de transmitir aos jovens o espírito das artes marciais – mesmo que só um pouco dele.

Hoje, nenhuma arte marcial é melhor do que o judô para atingirmos esse resultado. Os costumes do passado ainda persistem e muitas pessoas sentem um forte sentimento de que as artes marciais são algo que deve ser honrado, e que não é apropriado ter más intenções ou atitudes fracas se você aspira seguir o caminho das artes marciais. Como não há necessidade de treinar o uso de lanças e a necessidade de usar a espada está diminuindo, o judô é a arte marcial mais apropriada para a atualidade.

Se você tiver um bom instrutor de judô, naturalmente estará honrando o Japão e amando as coisas desse país, elevando seu espírito e cultivando um caráter forte. Além disso, durante a prática do judô, dependendo do método do instrutor, os alunos são influenciados de várias maneiras diferentes. Vejamos alguns exemplos.

Ao conduzir um randori no dojo em que várias pessoas praticam, há momentos em que os alunos experientes e os inexperientes praticam juntos; em outras ocasiões apenas as pessoas de mesmo nível praticam o randori juntos. Algumas pessoas assumirão a posição de comando e outras tomarão o lugar das que são conduzidas, e em outras ocasiões os mestres de judô podem trabalhar juntos. Em alguns casos, após muito tempo de treinamento, as pessoas trocam de posição, deixando de ser lideradas e se tornando líderes; observei vários casos em que elas passam a ser instrutores e têm muitas oportunidades para ensinar às pessoas que elas devem fazer o melhor que podem e sempre agir com gentileza.

Outro exemplo é o de um dojo movimentado; em muitas ocasiões, famílias e amigos se reúnem e socializam. Nessas ocasiões, quando os instrutores advertem os alunos para que tenham boas maneiras e usem uma linguagem educada, isso é o mesmo que lhes ensinar como manter uma boa conduta dentro e fora de casa. Trata-se de um verdadeiro estudo sobre etiqueta na sociedade humana.

Depois da prática, as crianças podem sentir sede e provavelmente vão querer beber água. Nesses momentos, se o instrutor conversar com elas e lhes der instruções apropriadas, os alunos terão mais controle e não se excederão. Depois, mesmo quando os alunos estiverem sozinhos, eles terão aprendido o hábito de se controlar e não mais se excederão.

Existem muitos exemplos assim. Normalmente, eu estou muito ocupado e acho uma pena não poder ensinar judô diariamente, mas as pessoas que recebem esse tipo de ensinamento diariamente com certeza compreendem os benefícios que o judô traz para a sociedade em termos de educação.

O Desenvolvimento do Intelecto

Há muitas coisas que eu gostaria de falar sobre o judô e o desenvolvimento intelectual, mas vou me limitar às seguintes áreas e seu relacionamento com o judô: observação, memória, experimentação, imaginação, linguagem e habilidade de manter a mente aberta.

Na prática do judô, o mais importante é a observação. Isso acontece em outras áreas do aprendizado, mas, ao praticar randori no judô, você deve ter em mente coisas como se deve ou não usar um waza de uma determinada maneira, o que seria errado fazer, como arremessar seu oponente com facilidade em uma determinada situação e como você pode vencer seu oponente. Você não só deve fazer isso durante a prática, como também observar com atenção a prática de outras pessoas. Os praticantes que se dedicam a essa observação provavelmente apresentam um rápido progresso na prática do judô.

Quanto à memória, nos estágios iniciais da prática do judô, você deve fazer o que lhe ensinam. Para fazer isso, você deve se lembrar do que é ensinado. À medida que a prática progride, você não só se lembrará do que lhe foi ensinado, mas também do que observou. Portanto, em muitas situações, a memória é de vital importância. Você desenvolverá essa habilidade naturalmente e criará maneiras de se lembrar do que precisa.

A razão pela qual a experimentação é importante na prática do judô se relaciona com nage-waza e outras situações em que você precisa considerar coisas como "Nessa situação tal coisa deveria acontecer" ou "Quando isso ocorre, aquilo deveria acontecer". Mas é claro que não podemos saber exatamente como as coisas vão acontecer, então precisamos tentar por nós mesmos. Análise cuidadosa, experimentação e preparo para tentar novamente alguma coisa, mesmo que o sucesso não seja atingido imediatamente, são elementos essenciais do judô.

A imaginação não é imprescindível durante os estágios iniciais da prática do judô, mas depois se torna muito importante. Você pode experimentar várias alternativas, procurando prever como seu oponente irá reagir, mas se existe um limite para suas idéias, e se esse limite é pequeno, você não terá boas idéias mesmo que se passe muito tempo. Por outro lado, se você tiver várias idéias, uma depois da outra, e seus pensamentos se ampliarem até imaginar coisas bem diferentes de suas idéias originais, você pode chegar à solução perfeita, que estará entre essas idéias. Você pode ser responsável por uma inovação e até mesmo ser chamado de "mestre", mas isso exigirá uma grande dose de imaginação, até mesmo para chegar ao ponto em que possa ser considerado "bom". Você deve trabalhar para desenvolver essa habilidade por meio do judô.

A linguagem é muito importante para a prática do judô. A razão disso é que, no randori tanto quanto no kata, se você tentar explicar um determinado método em palavras, a menos que consiga explicá-lo de maneira excepcionalmente lógica e clara, o ouvinte não entenderá. Existem algumas coisas que podem ser explicadas detalhadamente com o uso do kata, mas outras não se adaptam a esse método. Em alguns casos, a explicação tem que ser verbal, falada ou escrita. Ao ensinar, faz uma grande diferença se você demonstra apenas com o kata ou dá explicações verbais enquanto o demonstra. Isso é ponto pacífico: quando você pede uma explicação sobre algo que não entende ou discute um assunto profundamente, é muito melhor que consiga falar com clareza; o mesmo acontece na prática do judô: procure falar de maneira lógica e clara.

Por fim, eu gostaria de falar sobre a necessidade de se ter uma mente aberta. A mente aberta é capaz de absorver novas idéias e organizar vários tipos de idéias ao mesmo tempo sem confundi-las. O problema de não se ter uma mente aberta na prática do judô é que as pessoas passam a confiar demais nas próprias crenças e, mesmo que descubram idéias novas e melhores, não só não as aceitam como também não são capazes de compreender o valor que elas têm ou julgar se são boas ou ruins. É provável que ocorra o mesmo com relação às teorias de nage-waza e de katame-waza no judô.

É claro que não é inteligente dar um passo ou fazer alguma coisa nova sem antes empreender uma cuidadosa análise, mas, se você se agarrar teimosamente às suas idéias, não progredirá. Não importa se a idéia é sua ou de outra pessoa, se a teoria é antiga ou nova; ao analisar se ela é boa ou ruim, certa ou errada, você precisa abandonar seus preconceitos e manter a mente aberta. Permanecer aberto para coisas novas é o primeiro passo para uma mente aberta, tão necessária para se progredir.

A teoria da luta do judô inclui alguns conceitos bastante complexos. Quando consideramos o relacionamento entre o corpo e os quatro membros, o posicionamento destes, como usá-los e como trabalhar os aspectos mentais, uma teoria se mistura a outra e fica muito difícil chegar a uma conclusão. Mesmo que você consiga relacionar essas teorias complicadas ou as observe separadamente, a capacidade de integrá-las no final é uma característica da mente aberta. O estudo avançado do judô requer que se coloque em prática esse tipo de habilidade, para que a qualidade da mente aberta se desenvolva naturalmente. Quando a prática do judô também atinge um nível avançado, como já adverti várias vezes, a mente também passa a ter um papel importante.

Se você segue principalmente o método do "treinamento mental", estudará essas teorias mais amplamente. Se usar o judô apenas como um método de educação física, é possível que a certa altura abra mão de compreender certos pontos e focalize principalmente os movimentos corporais. Mas quanto à relação entre o judô e o intelecto, eu me limitarei a esses comentários.

Agora gostaria de discutir como essas teorias do judô como luta que constituem o treinamento mental podem ser aplicadas em várias situações.

O Relacionamento Entre Você, os Outros e o Ambiente

A aplicação dos métodos de treinamento mental é um dos aspectos mais interessantes e benéficos do judô, mas eu darei aqui apenas uma visão geral. Primeiro, existe um ensinamento do judô segundo o qual é preciso observar o relacionamento entre você, as outras pessoas e o ambiente. Isso significa que, durante a luta, se você pretende usar um certo waza para atacar o oponente, primeiro precisa investigar tudo sobre ele, incluindo sua constituição física, suas habilidades, seu caráter e em quais waza ele tem mais habilidade. Na verdade, você também precisa saber todas essas coisas sobre si mesmo. Depois, precisa observar o ambiente, ou seja, se está ou não no dojo, se há outras pessoas por perto e se há paredes ou não. Se você está ao ar livre, precisa observar se há pedras, buracos ou valas nas proximidades. Depois de fazer isso, deve determinar o que precisa fazer para derrotar o oponente nessa situação. Você precisa se observar atentamente e ter o mesmo cuidado em relação a tudo o que o cerca.

Esse relacionamento entre você, os outros e o ambiente que os cerca não é importante somente na luta do judô. No mundo do trabalho, da política, da educação, por exemplo, quando você quer fazer algo, precisa observar a relação entre você e os outros e considerar de antemão as vantagens e desvantagens. A teoria da luta do judô pode ser aplicada a muitos aspectos da vida, e envolve uma capacidade de antecipação minuciosa e a consideração dos possíveis resultados.

Na luta do judô, existe um ensinamento, *saki o tore*, que significa "antecipar". Explicando de maneira simples, isso significa usar seu waza contra o oponente antes que ele use o dele contra você. Isso é o mesmo que tentar obter vantagem sobre seu oponente no jogo de *go* ou *shogi*. Da mesma maneira, quando você começa qualquer tipo de projeto, precisa tentar prever o que poderá encontrar adiante.

Outro ensinamento da luta do judô é *jukuryo danko* (ação decisiva após cuidadosa deliberação). *Jukuryo* significa considerar cuidadosamente a situação antes de tentar usar um waza. *Danko* significa agir sem demora após ter tomado uma decisão. Quando esse ensinamento é aplicado ao caminho que uma pessoa segue na vida, pode ser muito relevante em várias situações.

Outro ensinamento, que parece contradizer o *danko*, é conhecido como *tomaru tokoro o shite* (saber quando parar). Isso significa que, se você tenta fazer um waza até certo ponto, ao chegar nesse ponto você deve parar. Novamente, essa regra também tem uma aplicabilidade universal a vários aspectos da vida. Walter Bagehot* disse uma vez que lorde Palmerston**, o político britânico, era muito popular porque, apesar de ter tido insucessos, compreendia que se deve seguir em frente quando as circunstâncias exigem, mas que é necessário saber quando parar; uma filosofia que certamente teve um papel predominante na carreira desse político.

Se você aprender dois princípios, *jukuryo danko* (ação decisiva após cuidadosa deliberação) e *tomaru tokoro o shire* (saber quando parar), e souber aplicá-los corretamente, descobrirá que eles lhe serão muito úteis não apenas no treinamento do judô, mas também no seu papel como membro da sociedade.

A Arte do Controle e Suas Aplicações

Eu gostaria agora de mudar o enfoque desta discussão para a arte do controle na prática do judô. Digamos que A e B estejam praticando juntos e A esteja em um nível acima de B. Há o risco de que A, acreditando-se mais forte, fique vaidoso e use muitos waza em sucessão contra B. Nessa situação, é possível que A use um waza impróprio ou o aplique no momento errado, permitindo que B aproveite a brecha e eleve o nível da competição. Isso também terá um efeito psicológico positivo sobre B, que passará a acreditar que é tão bom quanto A.

Por outro lado, se A evitar esse erro e usar apenas waza precisos e apropriados contra B, após analisar cuidadosamente a situação, seus waza serão eficientes e ele não cometerá erros.

---

* Walter Bagehot (1826-1877), economista britânico, analista político e jornalista.
** Henry John Temple, 3º visconde Palmerston (1784-1865).

Isso terá um efeito psicológico sobre B, que sentirá que a habilidade de A é superior. Por se convencer disso, B terá mais dificuldade de derrotar A, mesmo que, às vezes, A não use os melhores waza para a situação. De acordo com essa linha de pensamento, dependendo do método de A, B poderá acreditar que é tão bom quanto A ou pode ser forçado a se render.

Se aplicarmos isso a uma situação em que A e B estejam debatendo um assunto, mesmo que A seja superior a B em conhecimento e eloqüência, se ele insistentemente tentar forçar B, B acabará encontrando erros no argumento de A e apresentará um argumento contrário. Entretanto, se A reconhecer os pontos melhores do argumento de B, sem disputar com ele excessivamente, e apresentar as próprias idéias de maneira razoável, sem ceder, ao final B se renderá às idéias de A e acreditará no que A diz, sem questionar os méritos de seu argumento. Esse tipo de raciocínio não se aplica apenas a debates entre duas pessoas, mas também ao relacionamento entre o governo e os cidadãos de um país ou entre professores e alunos.

Os Segredos do Judô e Seus Usos

Com relação à moral, eu gostaria de discutir um último ponto: os segredos do judô e seus usos. Um dos ensinamentos mais importantes da luta do judô é "Se você vencer, não deve se vangloriar da vitória; se perder, não deve desanimar. Se estiver seguro, não deve ser imprudente; se houver perigo, não deve ter medo – simplesmente siga em frente".

Se considerarmos esse ensinamento numa esfera mais ampla do que a prática do judô, vale enfatizar que, se você se vangloria da vitória, pode perder da próxima vez. Da mesma maneira, sentir desânimo após uma derrota não adianta nada; nos dois casos, você precisa colocar seu coração na competição. Além disso, isso não significa que, se estiver em uma situação segura, poderá permitir que sua concentração diminua. Não importa em que tipo de situação esteja. Você deve usar todos os meios que tem à sua disposição e manter o curso.

Se fosse resumir essa regra em poucas palavras, eu diria: não importa qual seja a situação, use os melhores meios disponíveis. Vamos aplicar esse princípio ao comércio. Sempre há lucros e perdas nos negócios, mas, se você sofre uma perda, não importa o quanto se irrite com isso, o problema não desaparecerá. Por outro lado, se você parar de lutar assim que obtiver algum lucro, logo perderá tudo. Portanto, se você sofre uma perda ou obtém um ganho, não há alternativa além de se manter no seu curso, usando todos os meios possíveis nas circunstâncias e o capital que tem. Também existe competição na guerra e na política, e o raciocínio nesses casos na verdade não é diferente.

Nesta discussão, quero mostrar que o judô tem um valor maior que o seu propósito educacional. Existem várias teorias sobre educação, mas, quando as olhamos a partir da perspectiva mais ampla da nação ou da sociedade, para transmitir o progresso atual para as próximas gerações e avançar ainda mais, nós precisamos comunicar nossos conhecimentos para a geração atual e treinar suas mentes e corpos. Quando olhamos isso pelo ponto de vista do indivíduo, vemos que é interessante para toda a sociedade que tornemos o indivíduo mais independente e mais feliz.

Quando se trata de educação, não se pode dizer que compartilhar o conhecimento simples de um livro seja suficiente. Além do estudo usual, a educação também deve englobar o desenvolvimento da arte de se associar com outras pessoas, a capacidade de especulação e muitas outras habilidades usadas na vida quando se aceita desafios. Ao praticar judô usando os métodos apropriados, você desenvolve esses tipos de habilidade.

Eu já encontrei objeções a essa filosofia. Algumas pessoas sugeriram que os alunos em idade escolar não conseguiriam aprender a arte de se associar a outras pessoas, a capacidade de especular e outras maneiras de aplicar suas habilidades na sociedade junto com seus estudos normais, e que eles precisariam aprender esse tipo de coisas sozinhos, no mundo lá fora. Eu discordo inteiramente. É bom aprender a arte da vida com as próprias experiências, mas não se pode negar que a maioria das coisas aprendemos primeiro na teoria, e, seja o caso que for, só se pode realmente treinar a mente durante a infância. Assim, quando esses estudantes atingem uma idade em que essas teorias podem ser compreendidas e aceitas, eles devem ser treinados, e o mais cedo possível.

O ESPÍRITO SAMURAI

Tendo em vista que o judô se desenvolveu com base nas artes marciais do passado, os praticantes de judô deveriam transmitir às futuras gerações tudo o que os praticantes das antigas artes marciais valorizavam. O espírito samurai, por exemplo, deveria ser celebrado mesmo na sociedade atual. Os antigos samurais valorizavam a honra e a integridade. Eu sempre achei que, se esse espírito tivesse sido transmitido plenamente às pessoas de hoje, não estaríamos tão insatisfeitos com os rumos da nossa sociedade contemporânea com relação ao governo, à indústria, às forças armadas e à educação.

Todos os intelectuais reconhecem que o governo de hoje não prioriza os interesses dos cidadãos, com o estado como fundamento. As eleições estão longe de ser as ideais – em muitos casos, o ganho pessoal vem antes do bem da sociedade. Acontece o mesmo na indústria, na agricultura e no comércio; os negócios são feitos com base em interesses egoístas. É natural que as empresas particulares e os empresários priorizem o ganho pessoal e os lucros; isso é inerente à sua natureza. Mas, seja um indivíduo ou uma empresa, para se ter lucros não se pode agir de modo a causar danos à sociedade.

Se pensarem apenas no futuro imediato, os indivíduos ou as empresas poderão ter ganhos incompatíveis com o bem-estar da sociedade. A longo prazo, tanto os indivíduos quanto as companhias prosperam sob a proteção do estado. E quando a sociedade prospera, os indivíduos e as empresas também se beneficiam. Assim, os indivíduos e as companhias devem sempre pensar na sociedade e, na medida do possível, levar em conta o interesse das outras pessoas.

Mas qual é a situação atual? A maioria das pessoas considera apenas seus próprios interesses na vida profissional. O resultado disso é um dano não apenas para a sociedade, mas também para o indivíduo, que sofre efeitos adversos. O mundo dos negócios de hoje tem problemas porque, quando a economia era forte, as pessoas agiam apenas em benefício próprio e deixavam de lado qualquer idéia de ajudar a sociedade.

Também é verdade que os trabalhadores passaram a ter dificuldades por causa do aumento de preços, e é natural que peçam aumento de salário. Mas, se receberem salários altos, eles se tornam preguiçosos e extravagantes, perdem a vontade de trabalhar e alegam que há pouca mão-de-obra, usando isso como desculpa para pedir salários maiores ainda. No final, os empresários não poderão atender às suas exigências e tanto capitalistas quanto trabalhadores irão à bancarrota. Assim, é razoável que os trabalhadores peçam aumento de salário, mas devem continuar a trabalhar com o mesmo afinco de antes ou, se possível, trabalhar mais ainda. Eles devem guardar uma parte do que ganham e poupar para momentos de instabilidade econômica e para quando estiverem em idade avançada.

Dessa maneira, não só as pessoas serão mais felizes, como o capital da nação aumentará e os trabalhadores serão mais bem recompensados. Apesar de haver exceções, em geral os empresários apenas cuidam de seus próprios interesses e não dão suficiente atenção às necessidades dos trabalhadores. Assim, falta aos empresários a generosidade que os mestres samurais demonstravam a seus servidores no passado, e isso leva a conflitos na sociedade.

COMO BENEFICIAR A SOCIEDADE

Isso é o que acontece quando as pessoas só visam aos seus próprios interesses. Quando elas realmente levarem em consideração a sociedade, não conseguirão mais pensar somente nelas mesmas. Em geral, o samurai do passado procurava agir de maneira altruísta e pelo interesse da sociedade, mas hoje parece que conceitos como honra e integridade foram deixados para trás, à medida que as pessoas se tornam excessivamente autocentradas.

Como sempre falam sobre honra e integridade, os soldados e educadores são muitas vezes vistos como pessoas superiores, mas nem sempre é assim. Em particular, quando eles se deparam com pressões sociais como as que vivemos hoje, mesmo que tenham uma força de vontade férrea, podem perder o ânimo e passar por grandes adversidades. Mas é nesses momentos que a pessoa deve demonstrar seu verdadeiro caráter. Em momentos assim, a capacidade de superar dificuldades, suportar, ter paciência, preservar a honra e manter um espírito de integridade são de grande valor, acima de tudo. Eu gostaria que as pessoas que praticam o judô honrassem esse espírito samurai.

Para fazer isso, primeiro você deve desenvolver bons hábitos diários. Esses bons hábitos incluem a simplicidade e a moderação; ao pensar em você, sempre tenha os outros e toda a sociedade em mente. Você não deve causar dificuldades aos outros só pelo seu próprio bem, e, sempre que puder, deve tentar beneficiar as outras pessoas ao mesmo tempo que se beneficia. Em outras palavras, você deve se aprimorar e contribuir para a sociedade, que é o propósito maior do estudo do judô.

As pessoas que querem fazer algo para beneficiar a sociedade devem primeiro se assegurar de que são capazes de cuidar de suas próprias necessidades. Se você gasta muito, precisa mergulhar de cabeça no trabalho para ser capaz de se sustentar. Mesmo que tente desenvolver suas habilidades e trabalhar de maneira mais eficiente, será difícil encontrar tempo para isso.

Assim, primeiro você deve viver uma vida simples e modesta; viver com o que ganha, para não precisar de muito dinheiro ou tempo para se sustentar. A coisa mais importante na vida é empenhar-se para se desenvolver e acumular a energia necessária para usar pelo bem da sociedade, o que também trará muitos benefícios a você.

O ideal é que esses hábitos sejam desenvolvidos na infância, mas convém desenvolvê-los em qualquer idade. Mesmo que você os aprenda só na maturidade, eles o ajudarão a encontrar a felicidade. Isso acontece porque as pessoas que têm essa atitude e esses hábitos não têm dificuldade para viver uma vida simples e modesta e para se esforçar pelo bem da sociedade. Além disso, os benefícios serão observados na sociedade e se refletirão também sobre os indivíduos; portanto, uma satisfação ainda maior pode ser obtida.

Por outro lado, quem se esquece da sociedade e só pensa em si mesmo, vivendo de maneira extravagante e egoísta, acaba insatisfeito e gasta muita energia reclamando. Desse modo, será incapaz de ganhar a simpatia das outras pessoas e muitas vezes será mal visto. Essa pessoa encontrará obstáculos e sofrerá pressão no trabalho, e no final será incapaz de atingir suas metas.

Portanto, eu insisto para que os praticantes de judô transmitam o espírito do judô como uma arte marcial do passado, valorizando a honra e a integridade e, tendo em mente a filosofia que defendo de aperfeiçoar-se e contribuir para a sociedade, pratiquem o judô com as mais nobres intenções.

Ajustar-se ao Seu Oponente

Na prática diária tanto quanto no tatame, os praticantes de judô muitas vezes dão mais ênfase à competição do que ao espírito essencial do judô. Apesar de ser um momento de orgulho, a competição entre escolas não é a meta final, os alunos não deveriam praticar o judô pelo propósito da competição, mas sim para chegar a um propósito mais nobre na vida. Assim, a competição entre escolas não é um objetivo, mas sim um meio para se chegar a um objetivo mais nobre.

Como infelizmente acontece em competições entre escolas de judô, o uso de vários truques sujos ou mesmo a prática de correr pelo tatame para evitar o oponente e a derrota, não estão de acordo com o espírito do judô. Quando os alunos de uma escola competem entre si, eles devem se ajustar aos oponentes o máximo possível e, se conseguirem a vitória graças a suas habilidades e métodos superiores, então será uma vitória verdadeira. Imagine que você tenha um livro de referência muito útil que guarde só para si e não mostre a ninguém, ou que um colega seu fique doente e não vá à aula e você não lhe passe as anotações daquele dia. Se você tirar uma nota mais alta na prova, essa não será uma vitória verdadeira. Da mesma maneira, em uma competição ou luta, orgulhar-se por vencer um oponente que estava em posição de desvantagem não é algo que faça parte do espírito do judô. Você deve, na medida do possível, ajustar-se ao oponente e competir de maneira que ele possa usar seus waza contra você livremente. Se você não tentar vencer usando um waza superior ao do oponente ou usando os waza dele contra ele mesmo, essa poderá não ser considerada uma vitória verdadeira. É importante considerar atentamente essa questão.

O Sumô, o Boxe e a Luta Romana

Eu gostaria de falar um pouco sobre esses assuntos. O sumô, que tem sido praticado no Japão desde um passado distante, em certo aspecto é muito valioso como educação física. Ele também é considerado uma base para se cultivar um espírito forte e destemido. O teatro, o *kabuki* e a performance musical trazem, todos eles, benefícios, mas, quando praticados em excesso, esses passatempos podem deixar as pessoas sem força de vontade, além de ter outros efeitos ruins. O sumô também tem sido criticado por tornar as pessoas rudes e mal-educadas. Não é provável que a nação vá à ruína porque as pessoas perderam o refinamento, mas há muitos exemplos na história em que países se arruinaram porque se tornaram fracos.

Eu gostaria de enfatizar que o sumô se desenvolveu como entretenimento, não como educação moral ou física; e no passado muitos lutadores de sumô, por se considerarem artistas, tinham pouco cuidado com suas atitudes ou com a saúde. Ouvi dizer que atualmente existem *ozeki* e *yokozuna* que agem de maneira apropriada e são homens de caráter íntegro. Eu considero isso uma tendência muito promissora, mas devemos fazer uma clara distinção entre o sumô como entretenimento e o sumô como método de treinamento físico e mental. Se o sumô for promovido sem reservas, as pessoas poderão imitar os lutadores, que são artistas, e comer e beber em excesso, tornando-se fúteis e complacentes.

Na luta romana e no boxe, faz-se uma distinção entre amadores e profissionais. Os lutadores e boxeadores profissionais às vezes são pessoas de caráter inferior e, não importando o quanto tenham habilidade, muitos são mal vistos pela sociedade. Alguns membros da Kodokan se tornaram populares lutando contra eles, mas eu não acho que essa atitude esteja de acordo com as metas do judô. A verdadeira prática do judô não precisa desse tipo de demonstração.

É muito comum ouvir as pessoas comentando sobre quem ganhou ou perdeu esta ou aquela competição de luta, boxe ou judô, mas os propósitos originais do judô são completamente diferentes dos propósitos da luta romana e do boxe, então convém não entrar em competições entre essas modalidades. Apesar de não ser impossível que elas cheguem a um acordo sobre certas condições e participem da mesma competição, não se trata de uma verdadeira competição de judô e sim de um tipo de competição modificada, na qual é impossível definir quais são os méritos do judô, do boxe ou da luta romana. A forma mais apropriada de identificar o mérito do judô, do sumô, do boxe ou da luta romana é estudar cada uma dessas modalidades, com base em seus próprios conceitos, e depois chegar a uma conclusão.

No futuro, em uma competição entre praticantes de judô e lutadores ou boxeadores, os organizadores deverão decidir se os participantes competirão de acordo com as regras do boxe ou do judô. Entretanto, essas competições nunca deveriam ser abertas ao público, mas ser apenas testes entre voluntários com o propósito de pesquisa. Se, de alguma maneira, elas se tornarem um espetáculo, se forem cobrados ingressos e isso se tornar um esporte de espectadores, é preciso entender que essa será uma violação completa ao espírito do judô Kodokan. Eu vejo a necessidade de frisar essas questões porque tenho certeza de que algumas pessoas deixaram de lhes dispensar a devida atenção e caíram nessa armadilha sem perceber.

A PRÁTICA DO JUDÔ NO DOJO

TREINANDO PARA VENCER

Com relação à prática do judô em um dojo, que é, evidentemente, um assunto muito vasto, vou me limitar a falar sobre dois pontos. O primeiro relaciona-se à atitude do praticante durante o randori.

Na prática diária do randori, a luta contra outra pessoa não é o verdadeiro propósito da prática do judô. Pelo fato de ser interessante lutar para ver quem vai vencer, isso é feito freqüentemente. Parece que todos acham que ser capaz de derrotar outra pessoa é a meta principal da prática do randori. Entretanto, existe uma clara diferença entre se tornar capaz de derrotar uma pessoa no futuro e ser obcecado pela idéia de derrotar alguém agora, no presente.

Para derrotar alguém agora, o ideal é que a pessoa forte use essa força para sobrepujar a força da outra pessoa. Entretanto, usando esse método, ela naturalmente será derrotada se combater um oponente muito mais forte. Então, mesmo que corra o risco de levar a pior por algum tempo, a prática correta do randori é aprender a evitar habilmente o oponente, adaptar-se à energia dele, fazer com que ele se desequilibre ao avançar para trás e aproveitar essa oportunidade para fazer um waza. Se ela fizer esse tipo de treinamento por um tempo, no começo será muitas vezes imobilizada ou terá o braço torcido ou será empurrada pelo oponente. Mas se não o fizer com regularidade, nunca aprenderá a derrotar um oponente mais forte.

Esse é apenas um exemplo. Outro exemplo refere-se a um dos meus antigos alunos que se destacava dos outros: um jovem chamado Shiro Saigo*. Ele era um dos que mais eram arremessados durante os treinamentos. Até que aprendeu a se esquivar e o que fazer após ser arremessado. Assim ele superou seu medo de ser arremessado. A maioria das pessoas ataca o oponente por medo de ser arremessado. Saigo não se preocupava com o que poderia acontecer quando fosse arremessado. Como ele ficava na ofensiva durante as lutas, seu oponente assumia uma postura defensiva e ficava com o ataque mais fraco, enquanto Saigo podia usar os waza à vontade.

Eu criei o termo *zenshu wa zenko ni shikazu* (algo como: o ataque é a melhor defesa) e sempre sugiro isso às pessoas. Na prática, se você só pensa em vencer desde o início, nunca vai conseguir isso. Para desenvolver a força para um dia vencer, você precisa se contentar em perder por algum tempo. E mesmo que você corra o risco de perder, deve tomar a ofensiva, tentar vários waza e treinar com afinco. Se você praticar com isso em mente, não vai mais lutar com postura limitada a uma única direção, nem vai baixar os quadris e se agachar para a frente, em uma postura defensiva, como tenho visto muito ultimamente.

---

* Shiro Saigo (nascido Saigo Shida) (1867-1922), um dos mais famosos praticantes de judô do mundo.

A Prática do Randori

A razão pela qual existem tantos abusos hoje em dia é que as pessoas se esqueceram de que a prática do randori significa lutar com toda a garra. Se a pessoa luta com garra, mas assume uma postura em que baixa o quadril, afasta as pernas e projeta a cabeça para a frente, ela fica em posição de desvantagem. Tanto seu rosto quanto seu peito ficam vulneráveis aos atemi do oponente. Também será difícil se mover rapidamente para evitar os ataques. O atemi não é usado diariamente na prática do randori porque é perigoso, mas você deve mesmo assim praticar imaginando que o oponente pode atacar usando atemi a qualquer momento.

O hábito de não levar isso em consideração é a causa dos erros atuais. Assim, você precisa treinar o máximo possível mantendo uma postura natural sem tencionar o corpo, especialmente braços e pernas, e permanecendo bem relaxado para poder se movimentar livremente. Em alguns casos, é aceitável que se assuma uma postura defensiva, mas apenas temporariamente – sempre que possível convém manter uma postura natural.

A PRÁTICA DO KATA

Já ouvi mestres e outras pessoas comentando que isso também acontecia no passado, mas a maioria das pessoas que pratica judô no dojo se concentra na prática do randori e tende a se esquecer da prática do kata. A razão é que, por ser um treinamento competitivo, o randori é mais interessante que o treinamento formalíssimo do kata. Entretanto, não é bom buscar apenas o que parece mais interessante. Se uma coisa é benéfica, você deve praticá-la mesmo que não tenha muito interesse por ela. Os interesses imediatos não podem ser levados em conta quando se quer obter um benefício permanente. Por essa razão, você deve buscar a prática do kata com o mesmo entusiasmo que pratica o randori.

Como o randori que ensinamos na Kodokan foi criado com o objetivo de ajudar os praticantes a desenvolver um corpo bem proporcionado, é improvável que ele tenha falhas importantes. Mas como o randori, falando de modo estrito, tem primariamente um espírito competitivo, é inevitável que alguns músculos sejam mais usados do que outros. Assim, se você tem um bom parceiro, o ideal é que pratique alguma forma de educação física em que possa empregar o seiryoku zenyo todos os dias, tanto com o parceiro como sozinho. Se não encontrar um parceiro, deve praticar sozinho. Isso vai complementar seu treinamento, e seu randori será muito mais eficiente.

Esse conselho tem em vista a educação física, mas, se você considerar o kata como arte marcial, ele se torna ainda mais necessário. Se você não treinar regularmente, encontrará dificuldade para se esquivar ou escapar do oponente com rapidez, quando ele o atacar. Quando isso acontecer, se você parar para pensar em como escapar do ataque dele antes de atacar, vai ser atingido antes que possa se esquivar. Se você não praticar todos os dias para que seu corpo reaja automaticamente, estará vulnerável ao ataque.

Contudo, o contrário também é verdade: se você não praticar o kata repetidamente, todos os dias, seu próprio atemi não será eficiente. Não importa que saiba muito bem onde ficam os pontos vitais ou que tenha ficado muito forte com o randori, se não praticar o kata, você não será um oponente habilidoso – e falta de habilidade se traduz em um atemi ineficiente. Por essa razão, praticar com toda a garra e competir significa treinar o corpo com randori para ter total controle sobre seus movimentos. Mas, ao mesmo tempo, o kata vai ajudá-lo a aprender sobre os pontos vitais do corpo e a praticar para que seu atemi seja mais eficiente.

Outra razão pela qual recomendo a prática do kata é que, se você apenas praticar randori, pode praticar sem dificuldade até uma idade avançada, mas se parar, pode ter problemas físicos na medida em que fica mais velho. Entretanto, com o kata, você pode praticar com relativa facilidade até uma idade avançada. Como o kata causa menos entusiasmo que o randori, se você não desenvolver a sua habilidade nessa área, perderá o interesse na sua prática. Exatamente por essa razão, a prática constante e entusiasmada do kata é essencial desde a juventude, para aumentar o interesse, a habilidade e ajudar o estudante a ter um caminho longo, feliz e agradável no judô até a idade madura.

POSFÁCIO

Shinnosuke Kano, conhecido posteriormente como Jigoro, nasceu em 28 de outubro de 1860, na vila de Mikage, na província de Settsu (que hoje é Mikage-cho, distrito de Higashinada, Kobe). Ele não era fisicamente notável, mas tinha um espírito forte e uma enorme aversão pela idéia de perder. Mais tarde, ele começou a estudar ju-jutsu, pois soube que essa arte marcial possibilitava que uma pessoa pequena derrotasse outra muito maior. Depois de se dedicar integralmente a essa prática por algum tempo, passou a questionar muitas coisas, mas não obteve respostas satisfatórias dos mestres. Como a grande inteligência de Jigoro não o deixava aceitar isso, mais tarde, além dos treinos intensivos, ele começou a passar várias horas estudando os princípios do ju-jutsu, para encontrar suas próprias respostas. Em resultado, ele abriu uma vereda do *jutsu* (habilidade) para o *do* (caminho) e alargou os horizontes do conhecimento até atingir o ponto em que começou a defender a tese do *seiryoku zenyo* (máxima eficiência) e *jita kyoei* (benefício mútuo), que representam a universalidade e o ideal da existência humana.

Ao mesmo tempo em que respeitava e valorizava as tradições do ju-jutsu, Kano incorporou ao seu judô um novo conceito de moralidade e atendeu ao propósito da educação saudável ao enfatizar a ciência e a lógica. Dessa maneira ele também criou uma prática que todos poderiam compreender e aceitar, não importando a habilidade intelectual do praticante. Esse foi um produto da natureza humana de Kano, que valorizava muito a racionalidade.

O ju-jutsu teve suas origens nas artes marciais do Japão Feudal e em seu passado, muitas vezes turbulento. Quando Kano fundou o judô Kodokan em 1882, com base nas tradições do ju-jutsu, ele ainda era um jovem de 22 anos de idade. Para compreender por que Kano transformou no judô a arte marcial do ju-jutsu, à qual ele tinha, até então, dedicado sua vida, é preciso olhar essa questão de três perspectivas diferentes: a educacional, a esportiva e a internacional – ou seja, a visão que o próprio Kano tinha da vida.

Kano trabalhou toda a sua vida como educador. Durante 26 anos ele foi diretor na escola de treinamento de professores de Tóquio (que hoje é a Universidade de Tsukuba). Esse era o centro da educação de professores do Japão, que moldou a maior parte da vida de Kano. Em 1916, ele expressou suas profundas convicções sobre o valor da educação: "Quando eu era jovem, após me graduar na universidade, pensei em me tornar primeiro-ministro ou milionário, mas achei que nenhuma dessas opções seria satisfatória. Eu concluí que a educação é a única coisa à qual um homem poderia devotar sua vida sem arrependimentos, e assim busquei uma carreira na área da educação".

Posteriormente ele expressou seus sentimentos por meio da poesia:

Educação
Não há nada maior no mundo.
A educação moral de uma pessoa se estende a dez mil pessoas.
A educação de uma geração se expande por uma centena de gerações.

Educação
Não há nada mais agradável no mundo.
Cultivando o talento e melhorando o mundo,
essa fragrância perfuma para sempre após a morte.

Parafraseando o primeiro poema: não existe nada no mundo tão grandioso quanto a educação. Conhecimentos de nível superior foram transmitidos de professores para alunos, melhorando muitas outras pessoas, e assim, melhorando o mundo. Essa era excepcional assim criada influenciou as gerações posteriores, servindo como modelo para elas.

E a segunda estrofe: não há nada neste mundo tão agradável quanto a educação – ou seja, apoiar o crescimento de jovens que se destacam para que eles possam contribuir para a sociedade. As pessoas se vão ao fim do período de vida, mas suas realizações vivem para sempre.

Kano acreditava que não existe busca mais nobre e nenhum prazer maior que apoiar (isto é, educar) jovens que se empenhariam para beneficiar a sociedade e outras pessoas; e essa paixão e essa crença eram típicas de seu caráter. As razões que levaram Kano a firmar a educação, inclusive a educação física e o treinamento mental, como o propósito do judô podem ser encontradas aqui – para Kano o judô era um meio de educação.

Kano afirmava que aproveitar os pontos fortes do ju-jutsu, ao qual ele devotou a vida, e corrigir seus pontos fracos era algo que levaria a um método ou a uma forma de educação pela qual seriam criados indivíduos excepcionais. Depois de reformar o ju-jutsu, transformando-o em judô, ele apresentou regras e criou um esporte que poderia ser interessante para todos. Em suas viagens ao exterior, Kano se deu conta da capacidade dos esportes para desenvolver o ser humano e logo percebeu que os esportes não tinham fronteiras. Em resultado disso, ele imediatamente concordou em ser a primeira pessoa da Ásia a ser nomeada para o Comitê Olímpico Internacional. A filosofia olímpica, segundo a qual os esportes apóiam o desenvolvimento dos jovens e contribuem para a paz mundial, está de acordo com o *jita kyoei* (benefício mútuo), o espírito do judô de Kano. Na segunda metade de sua vida, Kano foi um ativo membro do COI e também esteve à frente da Kodokan.

A criação do judô também deve ser analisada com o plano de fundo da era Meiji (1868-1912). Na juventude de Kano, a restauração da ordem imperial já tinha ocorrido (a Restauração Meiji, 1868) e a era dos samurais havia terminado. Essa foi a era em que o Japão emergiu de anos como um país feudal, simbolizado pelo sistema de classes, e se tornou uma nação nova, moderna, na qual todas as pessoas eram iguais. Em grande parte, isso foi feito com o uso de muitos elementos da cultura ocidental. Em meio às condições sociais da era Meiji, o governo e o povo partiram para buscar a iluminação cultural, abandonando os costumes do passado. O pulsar das mudanças ressoou por toda a Terra enquanto o Japão começava a substituir suas velhas tradições e buscar a modernização. A sociedade japonesa e suas instituições começaram a se afastar dos valores asiáticos mais tradicionais em troca do modelo ocidental de educação, de economia e de governo.

Kano acreditava que pagando essa dívida, e ganhando assim o respeito das outras nações, o Japão poderia melhorar sua posição internacional e, assim, defender-se. De acordo com Kano, "No futuro, os cidadãos das nações do mundo se aproximarão naturalmente e as culturas aos poucos se integrarão. Neste momento, se aprendermos muito sobre os outros países e não tivermos nada para lhes ensinar, não apenas ficaremos envergonhados, mas também será difícil que não nos olhem com desprezo. Então, o que vamos ensinar a eles? Nós temos o judô". Além disso, ensinar o judô contribuiria para a cultura mundial, o que ajudaria, por sua vez, o desenvolvimento do Japão. Kano viu que contribuir para a cultura mundial significaria a criação de uma sociedade internacional, o que seria interessante para o Japão. Isso incorpora a prática desse conceito de jita kyoei.

Apesar de o ju-jutsu ter sido praticado amplamente em todo o Japão e de terem existido cerca de cem escolas de ju-jutsu durante a era dos samurais, ele praticamente desapareceu durante a Restauração Meiji. Kano preservou elementos das antigas tradições do ju-jutsu japonês quando fundou o judô Kodokan, mas precisou explicar pela lógica a diferença entre o ju-jutsu, que pertencia à antiga cultura, e o judô, a nova modalidade de exercício proposta por ele. Kano afirmou, de maneira um tanto ousada, que, se a lógica do judô fosse aplicada ao *kyujutsu* (arco e flecha), ao *bajutsu* (cavalaria), ao *kenjutsu* (esgrima) e ao *sojutsu* (lanças), todas essas artes seriam chamadas de judô. À primeira vista, essa teoria parece bizarra. Mas o que, de fato, ele queria dizer com isso?

A lógica do judô é que ele é a maneira pela qual se pode fazer o melhor uso da energia mental e física para se atingir objetivos. Assim, se uma pessoa puxa a corda de um arco usando essa lógica, isso se torna kyojutsu; se uma pessoa monta em um cavalo usando essa lógica, isso se torna bajutsu, e o mesmo ocorre no kenjutsu e no sojutsu. Essa lógica também se aplica a campos que estão além das artes marciais, e Kano propôs que ela fosse aplicada amplamente na vida diária das pessoas. A teoria por trás do ju-jutsu, *ju yoku go o seisu* (o suave controla o duro), foi substituída pela teoria do *seiryoku zenyo katsuyo* (o melhor uso da energia), o que resultou na teoria do judô, que é idêntica à racionalização necessária para que os seres humanos vivam a vida. A teoria por trás do judô não é ideológica, mas sim prática, pois funciona por meio das técnicas e dos conceitos do judô. Isso quer dizer que essa é uma teoria sobre a técnica pela qual a pessoa treina o corpo e a mente, e como uma teoria de vida é um método extremamente prático que direciona os pensamentos do praticante para o caminho correto. Kano era um homem que defendia o conhecimento prático acima do idealismo.

O judô evoluiu; deixou de ser um elemento da cultura japonesa para ser um elemento da cultura mundial, e criou raízes na comunidade internacional. Quando se viaja por países estrangeiros, quase não se encontra pessoas que nunca tenham ouvido a palavra "judô"; o judô é reconhecido mundialmente. A Federação Internacional de Judô tem atualmente 187 países membros, e as competições ocorrem em cinco continentes, além dos 23 eventos masculinos e treze eventos femininos internacionais. Como esporte oficial dos Jogos Olímpicos, o judô se tornou uma paixão de jovens do mundo todo.

O jovem Kano abriu o primeiro dojo da Kodokan em 1882, em uma sala com doze tatames de um templo de Tóquio. Hoje, mais de cem anos depois, a Kodokan cresceu para incluir vários dojos, entre eles o dojo principal, de 420 tatames; dois dojos de 240 tatames e três menores, de 192, 114 e 66 tatames. A Kodokan também se orgulha de ter um centro de pesquisas e uma biblioteca, e de também ter criado uma sociedade de pesquisas. Além disso, ela enfoca o estudo do judô e atividades educacionais, e responde às necessidades acadêmicas de instrutores e pesquisadores tanto no Japão quanto no exterior.

Ao longo de toda a sua vida, Kano enfatizou várias vezes que é preciso entender o significado correto do judô e colocá-lo em prática. Isso quer dizer que se deve entender que o judô é o caminho para se fazer o melhor uso da energia física e mental e para se colocar isso em prática pelo bem da sociedade. Como o judô é definido dessa maneira, o que era antes apenas caracterizado como arte marcial, uma técnica de luta usada para matar ou ferir um oponente, foi inteiramente substituído pelo judô, que então progrediu, passando a ser um princípio que pode ser aplicado em todas as áreas da vida humana.

As circunstâncias que cercam o desenvolvimento do judô foram descritas ao longo deste livro. Espero que a leitura atenciosa de cada capítulo tenha proporcionado aos leitores uma visão apropriada do judô Kodokan, uma cultura internacional, física e mental, criada pelo Japão.

Naoki Murata

BIBLIOGRAFIA

Capítulo 1
Jujutsu kara Judo e [Do Ju-jutsu ao Judô]. Título original: *Judo no Hattatsu* [O Desenvolvimento do Judô]. *Shin Nihonshi.* Vol. 4. Manchohosha. Novembro de 1926.

Jujutsu no Rekishi [A História do Ju-jutsu] Título original: *Judo Ippan Narabi ni Sono Kyoikujo no Kachi* [Um Olhar sobre o Judô e seu Valor Educacional]. Texto de uma palestra apresentada a pedido do Dai Nippon Kyoikukai. Maio de 1889.

Nani Yue no Mukashi no Jujutsu Shoryu ga Otoroete Hitori Kodokan Judo ga Konnichi Ryosei o Miru ni Itatta ka [Por que as Escolas de Ju-jutsu Declinaram e Apenas o Judô Kodokan Tem Popularidade Hoje]. *Judo.* Vol. 4, nº 3. Março de 1933.

Capítulo 2
Seiryoku Zenyo: Judo no Konpon Seishin [Seiryoku Zenyo, o Espírito Fundamental do Judô]. Título original: *Judo no Konpon Seishin* [O Espírito Fundamental do Judô]. *Dai Nippon Judoshi.* Maio de 1939.

Judo no Konpongi ni Tsuite [O Significado Fundamental do Judô]. *Judô,* Vol. 8, nº 11. Novembro de 1937.

Jinsei no Koro wa Tada Itsu Aru Nomi [Só Existe um Caminho na Vida]. Título original: *Judo to Seishin Shuyo* [O Judô e o Treinamento Mental]. *Judo Gokui Kyohan*. Yukawa Meibunkan. Março de 1925.

Capítulo 3

Judo ni Jochuka Sandan no Betsu Aru Koto o Ronzu [Os Três Níveis do Judô: Básico, Intermediário e Superior]. *Judô*. Vol. 4, n⁰ 7. Julho de 1918.

Jodan no Judo ni Tsuite [Judô de Nível Superior]. *Judô*. Vol. 4, n⁰ 8. Agosto de 1918.

Judo no Shugyo wa Kaku Homen no Renshu o Kanete Okonatte Koso Shin no Igi o Yusuru [Por Combinar Várias Formas de Treinamento, a Prática de Judô Tem um Significado Verdadeiro]. Título original: *Judo no Shugyo wa Kaku Homen no Renshu o Kanete Okonatte Koso Shin no Igi o Yusuru no de Aru* [Por Combinar Várias Formas de Treinamento, a Prática do Judô Tem um Significado Verdadeiro]. *Yuko no Katsudo*. Vol. 7, n⁰ 9. Setembro de 1921.

Judoka ni Zehi Motte Moraitai Seishin [O Espírito que Eu Gostaria que Todo Judoca Tivesse]. *Yuko no Katsudo*. Vol. 6, n⁰ 5. Maio de 1920.

Dojo ni Okeru Shugyosha ni Tsugu [Para Aqueles que Praticam Judô em um Dojo]. *Judô*, Vol. 7, n⁰ 6. Junho de 1936.